Laure HUMPHREYS

LE COCKER

Présenté par le
Docteur Philippe de WAILLY
Le Dressage par
M. Amador de BUSNEL

Elevage de Guerveur.

SOLAR

DANS LA MÊME COLLECTION

LES TECKELS
LE BERGER ALLEMAND
L'ÉPAGNEUL BRETON
LE BOXER
LES SETTERS
LES BRAQUES
LES TERRIERS
LE DOBERMANN
LES CANICHES
LES POINTERS
LES CHIENS DE COMPAGNIE
CHOW - CHIHUAHUA - BICHON
YORKSHIRE - LHASSA APSO - SHIH-TZU - PÉKINOIS - CARLIN
BOULEDOGUE FRANÇAIS - DALMATIEN
LES CHATS
LES CANARIS
LES POISSONS ROUGES
LES ANIMAUX DE COMPAGNIE
LE CHEVAL

SPANIEL CLUB FRANÇAIS

Président : M. THORP - 22, rue d'Artois - 75008 PARIS
Secrétaire : Mme GUERVILLE-SEVIN - 15, av. Ledru-Rollin
75012 PARIS

SPANIEL-CLUB DER SCHWEIZ

Président : M. P. BIERI - Postfach 1 - 3053 MÜNCHENBUCHSEE

SPANIEL-CLUB DE BELGIQUE

Président : M. AERTS - 4060 LINCÉ SPRIMONT (Prov. LIÈGE)

Photo couverture :
Selim of Ayodhya, champion de France de travail. [M. Choay (Elevage of Shéba).]

PRÉSENTATION

Le Cocker, qui est le plus répandu des Spaniels et aussi le plus petit, fut introduit en France à la fin du XIXe siècle par Paul Caillard. Mais, de toute évidence, son origine est beaucoup plus ancienne.

Tous les Spaniels ont un ancêtre commun : le très fameux chien d'Oysel que Gaston Phoebus décrit en ces termes dans le chapitre XX de son livre : « Autre manière y a chiens qu'on apelle chiens d'Oysel et espainholz, pour ce que cette nature vient d'Espainhe, combien qu'il y en ait en autre pays. Cieulx chiens ont moult de bonnes coutumes et de mauvaises aussi. Beau chien d'Oysel doit avoir grosse teste et grand corps et bel de poil blanc ou tavelé ; car ce sont les plus biaux ; et de cieu poill en y a plus voulentiers de bons. Et il ne doilt mie estre trop velu, et doilt avoir cuene espesse. Les bonnes coutumes que cieux chiens ont, sont qu'ils ayment bien leurs mestres et le suyvent sans perdre parmi toute gent. Aussi vont-ils voulontiers tousjours devant quérant et jouant de la cueue et encontrant de tous oysiels et de toutes bêtes. Mes leur droit mestier si est de la perdrix et de la caille. »

Originaires d'Espagne, les Spaniels étaient donc introduits en France au XIVe siècle. Mais la race se répandit surtout en Angleterre. Les Spaniels furent adoptés par les Anglais qui, pendant des siècles, les utilisèrent surtout à la chasse au filet.

Les premiers Cockers apparurent au début du XIXe siècle. Ces lointains ancêtres étaient nés dans l'élevage du duc de Malborough et étaient issus du croisement de Spaniels de travail et de Toy Spaniels (Blenheim et King Charles, qui sont de petits chiens d'agrément). Les Cockers produits de cette alliance étaient des chiens beaucoup plus petits que la plupart des Spaniels de travail, mais néanmoins très endurants et rapides. Leur conformation en faisait donc d'excellents chiens pour la chasse à la bécasse et dans les couverts. C'est d'ailleurs de cette utilisation bien précise que vient le nom du Cocker (que l'on surnommait aussi parfois « Woodcocker »).

Naturellement, beaucoup de travail restait à faire. Il fallait imposer une sélection rigoureuse pour obtenir une homogénéité dans le type, et l'heureux résultat que nous connaissons aujourd'hui n'a évidemment pas été obtenu sans tâtonnements ni discussions...

En France, à la fin du XIXe siècle, les Cockers, introduits, rappelons-le, par Paul Caillard, furent accueillis avec enthousiasme. Mais une extrême confusion régnait, et il ne fallut pas moins de deux décennies pour éclaircir la situation. La fondation du Spaniel-Club en 1897 fut décisive.

Actuellement les Cockers-Spaniels sont très répandus (beaucoup plus, en France, que le Cocker américain ou le Springer). Cette vogue s'explique aisément. Le chasseur ne peut guère trouver compagnon plus efficace et plus enthousiaste. Quel que soit le terrain, marais, bois, broussaille, le Cocker n'a pas son pareil pour faire lever le gibier, et possède entre autres de remarquables qualités de retriever.

Sa vocation de chasseur n'empêche pas le Cocker de s'adapter à la vie citadine. Rien ne peut avoir raison de sa gaieté et, malgré une personnalité bien affirmée, il sait manifester une grande souplesse de caractère. Affectueux, intelligent, fidèle au-delà de toute expression, le Cocker n'a pas fini de mériter les louanges dont il n'a cessé d'être l'objet.

Docteur Philippe de Wailly,
Vétérinaire.

PREMIÈRE PARTIE

LE CHOIX D'UN COCKER

Chapitre I : **Le standard de l'English Cocker Spaniel**

Chapitre II : **Le pedigrée et la confirmation**

Chapitre III : **Où et comment acheter un Cocker**

Elevage des Ranches du Manoir.

CHAPITRE I : **LE STANDARD DE L'ENGLISH COCKER SPANIEL**

Le standard donne la description du type normal de la race. Aussi est-il absolument fondamental d'en prendre connaissance. En effet, avant de choisir et d'acheter un Cocker, vous devrez être capable de discerner les qualités et surtout les éventuels défauts des chiens qui vous seront proposés.

Le standard anglais du Cocker-Spaniel, qui est le seul valable et dont nous donnons ci-dessous le texte officiel, a été établi par le Kennel Club.

A - LE STANDARD

— **Aspect général :** Celui d'un chien de chasse alerte et gai. Le Cocker ne ressemble pas au plus gros Spaniel Field, ni en longueur, petitesse ou autrement, mais est plus court et plutôt haut sur pattes.

— **Tête et crâne :** Museau carré bien développé et mâchoires d'aplomb. Stop marqué. Le crâne et le front doivent être bien développés, découvrant largement le boîte crânienne, finement ciselée et pas joufflue. Le nez est suffisamment large et bien développé afin d'assurer le flair délicat de la race.

— **Yeux :** Remplissant bien l'orbite, mais pas proéminents, de couleur noisette ou brune s'harmonisant à celle de la robe, avec une expression générale d'intelligence et de gentillesse, résolument éveillés, brillants et gais.

— **Oreilles :** Lobées, attachées bas, constituées par une fine membrane et ne dépassant pas le bout du nez ; bien garnies de longs poils soyeux et droits, ni bouclés ni frisés.

— **Cou :** Il doit être long et musclé, bien placé sur de fines épaules obliques.

— **Avant-main :** Les épaules doivent être obliques et fines, la poitrine profonde et bien développée, mais pas trop large et ronde, de façon à ne pas gêner le libre mouvement des membres antérieurs. Les pattes doivent être très fortes, frangées, d'aplomb, suffisamment courtes pour la faculté de concentration, mais pas trop, de façon à ne pas gêner les énormes efforts exigés de ce petit chien de chasse.

— **Corps :** Compact et fermement soudé, donnant une impression de force concentrée et d'activité infatigable. Dos court extrêmement fort et compact proportionnellement à la taille et au poids du chien ; s'affaissant légèrement vers la queue.

— **Arrière-main :** Large, bien arrondie et très musclée. Membres postérieurs : mêmes normes que pour les membres antérieurs.

— **Pieds :** Ils doivent être fermes, ronds, en pieds de chats, ni trop larges, ni ouverts, ni étalés.

— **Queue :** Celle-ci est caractéristique de la race chez toutes les variétés de Spaniels. Chez le Cocker, plus léger et plus alerte, bien que placée bas, la queue peut être portée légèrement plus haut que chez les autres variétés. Elle n'est jamais relevée, mais plutôt dans la ligne du dos, le plus bas étant le mieux. Lorsque le chien est au travail, sa queue doit être agitée d'un frétillement incessant. On ne doit pas la couper trop court.

— **Robe :** De texture unie et soyeuse, jamais raide ou ondulée, avec des franges suffisantes mais pas trop abondantes et jamais bouclées.

— **Couleurs :** Variées. Chez les unicolores aucune tache n'est permise, sauf sur la poitrine.

— **Poids et taille :** Poids : de 28 à 32 livres anglaises, soit 12,700 kg à 14,500 kg. Taille : mâles, de 15,5 inches à 16 inches ; femelles, de 15 inches à 15,5 inches, soit : mâles, 39,37 cm à 40,64 cm ; femelles, 38,10 cm à 39,37 cm.

— **Défauts :** Crâne gros, ossature légère, robe bouclée, épaules droites, mouvement lent, jarrets faibles, pieds ouverts, queue portée haut, stop déficient, yeux clairs.

B - COMMENTAIRES DU STANDARD

Ces commentaires ont été établis par une commission du Spaniel-Club Français. Ils sont destinés à expliquer ou préciser certains points du standard.

— **Aspect général :** Le Cocker est un petit chien gai, grouillant, bien bâti, joignant à beaucoup de force une grande élégance, une vivacité et une agilité extrêmes.

C'est le plus gai, le plus alerte et le plus petit des épagneuls de chasse. Créé pour se glisser dans les fourrés les plus épais, où se cache le gibier, il doit allier à sa petite taille une énergie et une endurance inépuisables. Un Cocker mou est un animal presque inutile. Le Cocker est le compagnon brillant qui joue à la maison, et accomplit des tours de force à la chasse pour déloger le gibier ou le rapporter à son maître. C'est le chien des pays les plus durs et les plus difficiles. Il chasse également bien tous les gibiers, il travaille parfaitement le faisan, c'est un retriever très commode pour le perdreau en battue. Enfin, c'est le chien par excellence pour les haies épaisses où sa petite taille lui permet d'emprunter perpétuellement et sans effort les coulées du gibier.

C'est pourquoi sa taille doit être limitée.

— **La tête :** La tête ne doit être ni lourde ni massive. Elle doit être cependant « importante » relativement au reste du corps, longue, sèche, distinguée, avec des méplats bien accusés. La peau doit être bien collée aux os, sans plicatures.

LE CRANE : Il doit être spacieux et très légèrement en forme de dôme dans son dessus, en tout cas jamais plat. Son contour extérieur, vu d'en dessus, doit rappeler le plus possible celui d'un rectangle à angles harmonieusement arrondis, et en aucun cas celui d'un disque. Les zygomatiques seront aussi peu développés que possible. L'occiput est modérément accusé. Le stop est accusé mais jamais cassé ni trop profond. Les arcades sourcilières bien développées abritent largement l'œil.

LES MÂCHOIRES : La mâchoire doit être puissante, amplement recouverte par une babine étoffée, le tout donnant une impression très nette de carrure et de force. La ligne inférieure de la babine doit, en se prolongeant dans la direction du cou, rester le plus longtemps possible parallèle avec la ligne du chanfrein et masquer la commissure des lèvres dont on doit ignorer la présence. Les lèvres ne doivent être ni pendantes ni trop flasques. Les mâchoires doivent être d'égale longueur — les dents bien plantées — sans laisser d'espace entre elles, évitant de ce fait un prognathisme inférieur ou supérieur. La jonction du frontal et des os propres du nez doit se faire sans heurt et sans angles trop saillants ; elle doit être fondue dans une ciselure le plus poussée possible, se prolongeant sous les yeux, afin d'éviter au maximum l'impression de « coin » et d'empâtement qui sont de graves défauts.

LE MUSEAU : Le museau puissant doté d'un chanfrein droit, solide et large, va en s'amincissant très légèrement vers la truffe sans arriver à être pointu. Les joues sèches, finement ciselées, en particulier sous les yeux.

LA TRUFFE : Large, aux narines bien développées, doit être noire dans toutes les robes, sauf chez les marron ou à base de marron chez lesquels elle est automatiquement chocolat. Elle peut être tolérée, en égard à la coloration de la robe et à l'extrême rigueur, noisette foncé chez les blancs et orange chez les rouges. Le ladre est un grave défaut.

— **Les yeux :** Ils sont grands et remplissent bien l'orbite, mais ne sont jamais proéminents ni enfoncés. De couleur aussi foncée que possible. Paupières serrées ne laissant pas apparaître la conjonctive. La membrane clignotante très foncée et non visible. L'œil clair est un très grave défaut. Les axes des deux yeux doivent être strictement parallèles et sans strabisme.

L'expression intelligente, douce et noble au repos, doit devenir au moindre appel subitement gaie, active et animée.

— **Les oreilles :** Encadrant bien la physionomie, elles seront larges, attachées dans le prolongement de la ligne horizontale de l'œil, ou légèrement en dessous. Constituées par une membrane fine et souple qui ne doit pas dépasser le bout du nez. Bien recouvertes d'une couche de longs poils soyeux et épais, mais sans boucles ni frisures. Elles doivent tomber bien à plat et être collées aux joues, encadrant bien la tête à laquelle elles confèrent un charme et une majesté toute spéciale.

— **Le cou :** Long, légèrement arqué, musclé et sans fanon.

Elevage de Guerveur, Belle-Ile-en-Mer. ▶

— **L'avant-main :** Les épaules sont très longues et très obliques. Les omoplates très fines se rejoignent pour créer, à leur sommet, un garrot étroit et net.

Les jambes bien droites et puissantes doivent être extrêmement fortes étant donné l'énorme effort demandé à ce petit chien. Elles doivent être relativement courtes mais sans exagération pour ne pas gêner son activité. Elles doivent être abondamment frangées. Elles ne doivent être ni trop serrées ni trop ouvertes.

— **Le corps :**

LA POITRINE : Large, spacieuse dans ses trois dimensions (hauteur, largeur, profondeur). Bien descendue jusqu'au milieu des coudes. Les côtes ne doivent cependant pas être trop rondes pour ne pas gêner la libre action des membres antérieurs. Elles doivent entrer en « quille de bateau » entre les coudes, et non pas représenter un « tonneau porté par quatre pattes ». Elles ne doivent en aucun cas être plates ou étriquées.

LE DOS : Court, bien suivi, sans aucun fléchissement.

LE REIN : Très puissant, compact et musclé, car c'est lui qui doit propulser le corps en mouvement. La ligne générale du dessus doit être légèrement descendante vers la queue. Il est souhaitable que la distance du garrot à la naissance du fouet ne dépasse pas celle de terre au garrot.

— **L'arrière-main :**

LES MEMBRES POSTERIEURS : Très puissants. Cuisses musclées, descendant bas. Jarrets nettement long jointés, ni ouverts ni clos, impliquant une action souple et une démarche aisée (la marche piquée est indésirable). L'arrière-main doit donner l'impression arrondie pour éviter celle de « cuisses de chat ».

— **Les pieds :** Fermes et ronds, ni trop grands, ni trop larges, jamais mous ou ouverts, ou étalés. Doigts bien arqués, soles très dures, ongles solides.

— **La queue :** Attachée légèrement en dessous de la ligne du dos, sectionnée aux deux cinquièmes de sa longueur, doit être portée le plus bas possible, et ne jamais en tout cas dépasser le niveau de la ligne du dos. Son frétillement continuel à la maison comme à la chasse est une des caractéristiques essentielles de la race.

— **La robe :** Le poil doit être plat, épais, bien serré, d'aspect soyeux avec une texture fine et ferme lui permettant de sécher rapidement, mais ne devant jamais être laineux ou frisé. Il peut être à la rigueur moiré. Court sur la tête (le toupet est un très grave défaut), pas très long sur le corps, abondant aux franges.

— **Les couleurs :** Toutes les couleurs sont admises. Chez les noirs et les rouges un peu de blanc au poitrail est admissible ; des marques blanches ailleurs ne sont pas tolérées, les chiens devenant de ce fait des « autres couleurs ».

Classification :

En exposition, pour éviter toute discussion, les qualifications doivent être : 1) Cockers noirs ; 2) Cockers rouges, golden, crème ; 3) Cockers « autres couleurs ».

Dans cette dernière classe rentrent tous les Cockers non admis en rouge ou en noir.

— **Le poids et la taille :**

Le Cocker étant un chien destiné à passer sous des couverts épais, au-dessus desquels il ne peut bondir sans risquer de se fatiguer rapidement, il importe de lui conserver une taille qui lui permette de fournir le travail pour lequel il a été créé.

C - LES DÉFAUTS DU COCKER SPANIEL

Certains défauts sont très graves et l'amateur évitera de choisir un sujet qui en est atteint. D'autres ne sont que secondaires et n'entraînent pas automatiquement le refus de la confirmation.

1) **Défauts automatiquement éliminatoires :**

Ces défauts souvent héréditaires ont d'autant plus d'importance qu'ils sont pour la plupart transmissibles. Ce sont :

— Déformations congénitales ;
— Œil jaune ou vairon.
— Truffe ou paupières ladrées.
— Monorchidie (un seul testicule est visible).
— Cryptorchidie (les testicules ne sont pas visibles extérieurement).
— Agressivité.
— Taille - Mâles : inférieure à 38 cm.
supérieure à 42 cm.
Femelles : inférieure à 36 cm.
supérieure à 41 cm.
— Manque de type.
— Prognathisme inférieur ou supérieur.

2) **Défauts très graves :**

Ces défauts excluent le qualificatif TRES BON et peuvent donc être éliminatoires. En effet, les textes officiels précisent que la confirmation devra être refusée à tout sujet mâle inférieur au qualificatif TRES BON. Une réserve cependant : un sujet mâle qui a obtenu une MENTION TRES HONORABLE en épreuve de travail pourra être confirmé jusqu'au qualificatif BON. Moins de sévérité pour les femelles : la confirmation n'est refusée qu'au sujet inférieur au qualificatif BON.

Les défauts excluant le qualificatif T.B. sont :

— Signes caractéristiques de rachitisme.
— Tête trop lourde ou viandeuse.
— Crâne bombé, trop large ou trop étroit, ou présentant des plicatures.
— Yeux exorbités ou enfoncés.
— Conjonctives trop apparentes.

— Oreilles plantées trop hautes ou décollées.
— Côtes trop arrondies ou trop plates chez des sujets âgés de plus de deux ans.
— Membres antérieurs ou postérieurs concaves ou convexes.
— Poil laineux ou frisé.
— Fouet gai (c'est-à-dire porté verticalement).
— Toupet sur la tête.

D - LA TOILETTE

Le Spaniel Club Français donne les indications suivantes : « Pieds arrondis et fouet net. Dégager les poils morts. Interdiction absolue de tondre, de raser ou couper aux ciseaux les poils du crâne et de l'attache d'oreille, en un mot de se servir du rasoir pour la toilette du chien. La toilette d'un Cocker ne doit être faite qu'à l'aide de la brosse, du peigne et des doigts.

« Ce qui importe surtout, c'est beaucoup plus l'état général du chien, sa musculature, l'absence d'une surcharge de graisse ou d'un excès de maigreur, que l'exposant doit rechercher, plutôt qu'une toilette artificielle destinée, croit-il, à masquer les défauts dont un juge compétent s'aperçoit aussitôt. »

Les textes officiels donnent donc une précision importante : ne jamais utiliser de tondeuse ni de rasoir, le toilettage consistant essentiellement à éliminer les poils morts. C'est donc une opération assez simple que les indications suivantes aideront à réussir :

— **Tête :** Sur le dessus du crâne on arrache à la main les poils qui se redressent. On procède de même sur le chanfrein qui doit être parfaitement net. Cette épilation à la main ne présente aucune difficulté. Il faut simplement ne pas arracher trop de poils à la fois.

— **Oreilles :** L'ensemble de l'oreille doit être peigné à fond. Afin de l'alléger le plus possible on utilise un peigne fin autour de l'attache. De même, il faut peigner longuement le poil de la face interne surtout s'il est trop épais. Les oreilles doivent, en effet, être plaquées sur les joues. Enfin le démêlage des franges exige plus de délicatesse car il faut veiller à ne pas casser les soies.

— **Cou et épaules :** Il faut peigner longuement, car sur le cou et les épaules le poil ne doit pas être trop épais. Au niveau de la gorge on peut ôter quelques poils longs, mais on aura soin d'en laisser pour dissimuler d'éventuels fanons.

— **Membres antérieurs :** Après avoir enlevé les poils longs sur le devant et les côtés, on peigne les franges avec beaucoup de soin.

— **Corps :** Il suffit de bien le brosser dans le sens du poil.

— **Membres postérieurs :** Mêmes indications que pour les membres antérieurs. De plus, il faut alléger les franges. De derrière, on ne doit pas voir de poils dépasser de part et d'autre sur le corps et les pattes.

— **Poitrine :** Il faut peigner assez longuement pour désépaissir, mais laisser en avant une ligne de soies.

— **Fouet :** L'essentiel est de bien dégager l'attache en procédant là encore par épilation à la main. Le fouet, d'une longueur de

8 à 10 cm, doit être bien net et ne pas présenter de franges. Il faut donc peigner soigneusement pour désépaissir et éliminer les poils longs à l'extrémité.

— **Pieds :** Si besoin est, on peut, afin de mettre en valeur la forme ronde des pieds, enlever les poils qui garnissent les doigts.

Elevage de Guerveur, Belle-Ile-en-Mer.

CHAPITRE II : **LE PEDIGRÉE ET LA CONFIRMATION**

Le désir de posséder un chien de race pure est parfaitement légitime, sinon louable. Or, un chien de race pure doit posséder un pedigree, ou, autrement dit, un certain nombre de papiers officiels. Si le pedigree n'est pas en lui-même une garantie absolue de perfection, il autorise cependant à penser que le chien qui en est titulaire a des caractéristiques morphologiques conformes au standard et possède un certain nombre d'aptitudes et de qualités propres à sa race.

A - LE CERTIFICAT DE SAILLIE

A adresser par le propriétaire de la lice dans les quatre semaines suivant la saillie, portant le numéro de pedigree de la chienne et le numéro et les origines de l'étalon.

B - LE CERTIFICAT DE NAISSANCE

Aucun certificat de naissance n'est délivré sans cette pièce. La démarche à suivre est la suivante :

— Attendre la déclaration de naissance numérotée qui sera adressée par la S.C.C. au propriétaire de la lice au reçu de la déclaration de saillie.

— Adresser cette déclaration de naissance à la S.C.C. dans les deux semaines suivant la mise bas. (On se sera au préalable assuré que les deux géniteurs sont eux-mêmes inscrits au Livre des Origines Français et titulaires d'un pedigree.)

Attention : Pour être valable, un certificat de naissance doit obligatoirement porter :

1) La mention « Inscrit au registre des Livres généalogiques du Ministère de l'agriculture français ».

2) Le nom du chien ; sa race ; son sexe ; sa date de naissance.

3) Le nom du producteur et le nom de l'élevage.

4) Le numéro d'enregistrement au LOF.

5) Le numéro d'immatriculation par tatouage.

6) Le cachet de la SCC.

Vous êtes maintenant en possession d'un certificat de naissance. Vos démarches ne s'arrêtent pas là : aucun pedigree définitif n'est délivré avant l'examen de confirmation.

C - LA CONFIRMATION

Peuvent être confirmés tous les animaux capables d'entretenir ou d'améliorer la race, c'est-à-dire conformes aux normes du standard.

La confirmation sera effectuée à l'âge de douze mois pour la plupart des races, sauf pour le Berger Allemand (16 mois). Cette règle est logique, un chiot qui semble parfait à trois mois pouvant présenter des défauts en atteignant l'âge adulte. Deux possibilités :

— Faire confirmer par un juge qualifié lors d'une exposition ou d'un concours.

— Faire confirmer son chien par un examinateur-juge désigné par le Club au cours d'une séance de confirmation officielle ; il avisera la SCC de sa décision.

Si votre chien est confirmé, vous allez pouvoir entreprendre la troisième et dernière démarche.

D - LE PEDIGRÉE

Il faut adresser à la SCC le certificat de confirmation accompagné du certificat de naissance. En effet, la SCC les attend pour procéder à l'inscription au LOF avec délivrance du pedigree définitif.

Vouloir que son chien ait un pedigree ne relève pas du snobisme. Les quatre démarches que nous venons d'expliquer ne sont nullement fastidieuses et il est préférable de ne pas les négliger. Il ne s'agit en effet de rien moins que de la perpétuation d'une race. Or, les chiens de race, sans la conscience des membres des Clubs et les sévères précautions des juges, auraient tôt fait de s'abâtardir et de dégénérer.

En ce sens, le pedigree est une garantie. Le nom de tous les ascendants des trois générations précédentes y est porté, ce qui met en valeur la pratique d'une sélection stricte, d'autant que tous les succès remportés par le chien lors des épreuves de dressage sont également mentionnés sur le pedigree.

Remarque importante : Méfiez-vous des certificats dits « de race pure » délivrés par certains vendeurs et marchands. Ces papiers sont dépourvus de toute garantie et de toute valeur. Seul sera reconnu le certificat de naissance délivré par la Société Centrale Canine et mentionnant « Inscrit au Registre des Livres généalogiques du Ministère de l'Agriculture », ou, plus tard, un pedigree avec numéro d'inscription au LOF.

Quelle garantie donne un pedigrée ?

Il donne la garantie d'avoir un beau chien de race, dans la mesure où l'examen de confirmation obligatoire a été créé dans le but d'améliorer les races.

La notion de race est extrêmement importante et cet aspect ne doit pas être négligé lors de l'achat d'un chiot. Vous devez dès le début penser à la descendance de votre chien ou de votre chienne. Chacun, à son niveau, doit travailler à la perpétuation sinon à l'amélioration de la race. Il s'agit là d'une responsabilité collective.

Lorsque vous achèterez un chiot, le vendeur ne pourra pas vous remettre un pedigree définitif puisque l'âge de confirmation du Berger Allemand est fixé à 16 mois, celui des Teckels et autres races à 12 mois. Mais il vous remettra obligatoirement une attestation certifiant que le chiot est de race pure et que son pedigree est en cours d'inscription.

La possession d'un pedigree est donc importante. Toutefois, que le chien ait son pedigree ne signifie pas obligatoirement qu'il sera champion de beauté. Votre chien ne présentera aucun trait non conforme aux normes du standard, il sera sûrement beau, mais ne remportera pas nécessairement le qualificatif « excellent » lors des expositions.

On peut souligner encore qu'il est dans l'intérêt de l'éleveur de ne vendre que des chiens de qualité. En effet, le nom du chien figurant sur un pedigree est suivi d'un « affixe », soit du nom de l'élevage où le chien est né. L'affixe est donc une sorte d'estampille que dépose l'éleveur et il en est de très respectés. C'est un véritable label de qualité.

Elevage de Guerveur, Belle-Ile-en-Mer.

CHAPITRE III : **OÙ ET COMMENT ACHETER VOTRE CHIEN**

Le mieux est de s'adresser à la Société Centrale Canine (1) ou à votre vétérinaire.

On doit le choisir avec soin et en tenant compte de l'utilisation que l'on veut en faire. Nul ne peut donc vous conseiller mieux qu'un spécialiste qui saura vous diriger vers l'éleveur approprié.

Une règle donc :

— *Acheter le chiot chez un éleveur,* qui a été recommandé par le Club. Ainsi avez-vous quelque assurance :

1) D'avoir un beau chien. La vente d'un chiot déclaré de race pure comporte en effet la promesse de livraison du pedigree ou du document exigé pour son enregistrement dans les conditions citées plus haut. Si l'éleveur ne peut pas vous certifier que vous aurez un chien excellent (nul ne peut rigoureusement prévoir l'avenir d'un chiot de trois mois), du moins peut-il vous garantir que votre chien sera beau et même très beau.

2) D'avoir un très bon chien de travail. Nous en avons déjà vu la raison : les aptitudes des géniteurs ont été très sérieusement vérifiées et notées.

Deuxième règle :

— *Il est préférable de ne pas acheter par correspondance.*

Déplacez-vous et visitez l'élevage.

Consultez les fiches de santé.

Regardez comment les chiens sont nourris : chez un éleveur consciencieux, ils auront chacun une gamelle individuelle, afin d'éviter que les plus gloutons ne mangent la part des autres.

Enfin, n'hésitez pas à poser beaucoup de questions. Le choix d'un chiot est une décision grave.

Troisième règle :

— *Dans la mesure du possible, laissez le chiot vous choisir lui-même.*

S'il vient à vous et vous fait de lui-même des démonstrations d'amitié, n'hésitez pas à l'adopter.

---

(1) 215, rue Saint-Denis.

En revanche, s'il recule ou se montre très réservé, mieux vaut porter votre choix sur l'un de ses frères. (Encore une fois, le chien a des affinités.)

Quatrième règle :

— *Sachez éventuellement attendre* si vous êtes un connaisseur très averti et si vous désirez un chiot de telle ou telle portée compte tenu des indications mentionnées sur les registres.

Cinquième règle :

— *Respectez par avance votre chien.*

Un animal plein de vigueur, gai et débordant d'énergie s'accommodera mal d'un maître lymphatique.

Enfin, dès qu'il sera chez vous le chiot de votre choix fera certainement votre joie. Il vous aimera et vous sera dévoué ; vous devrez lui rendre la pareille. Réfléchissez bien avant de l'adopter aux servitudes que vous vous imposerez (promenades, attentions, aliments, soins, vaccinations annuelles, etc.).

QUEL ÂGE ?

Si cela vous est possible, préférez un animal jeune ayant entre deux et quatre mois, donc de préférence un chiot de trois mois.

A cet âge-là, le sujet n'a pas encore eu le temps de prendre de mauvaises habitudes, il n'est pas encore attaché à un maître, et sa « socialisation » s'établira avec vous.

Si vous avez des enfants, bébé-chien grandira avec eux et il sera leur compagnon de jeux tout en veillant sur leur sécurité. Il s'adaptera plus facilement à vos exigences.

La vie d'un toutou est malheureusement beaucoup plus courte que la nôtre. Bien qu'il nous arrive de rencontrer des vieux chiens encore « verts » à 18 ans, ils font malheureusement exception.

Le docteur Lebeau, vétérinaire, a proposé l'échelle comparée des âges de la façon suivante :

CHIEN	HOMME
6 à 8 mois	10 à 13 ans
1 an	24 ans
3 ans	28 ans
4 ans	32 ans
8 ans	48 ans
10 ans	56 ans
12 ans	64 ans
16 ans	80 ans

MÂLE OU FEMELLE ?

La chienne entre en chaleur deux fois par an. Pendant quinze à vingt jours elle attire les mâles, ce qui est désagréable, et émet un liquide rougeâtre qui peut tâcher vos draps ou vos fauteuils. Il faut veiller à ce qu'elle ne s'accouple pas avec un bâtard quelconque. Elle risque des infections génitales (métrite) et l'on a parfois recours à l'opération pour enlever la matrice qui suppure (hystérectomie).

Les femelles peuvent également, en vieillissant, présenter des tumeurs de la mamelle, parfois de nature cancéreuse.

Elle passe pour être plus affectueuse, plus douce, plus facile à dresser.

Les mâles sont plus actifs, souvent plus agressifs. Ils auront tendance à lever la patte fréquemment en urinant, ce qui exprime pour eux un « marquage » olfactif de leur territoire d'influence.

L'achat d'un chien est un événement important et sérieux. Il ne sera pas le hasard d'une promenade dominicale devant la vitrine d'un chenil où votre sensibilité se laisse apitoyer par un pauvre prisonnier. On sent qu'une telle décision spontanée est tout à votre honneur, mais je vous la déconseille vivement, vous risquez de le regretter amèrement.

Vous voulez vous assurer qu'il est en bonne santé, examinez-le soigneusement.

EXAMEN PROBATOIRE D'ACHAT

— Assurez-vous qu'il est alerte, que son poil est brillant, que ses yeux sont expressifs et que, tout comme les narines, ils ne présentent pas de pus, jaune ou muqueux.

— Prenez la température par voie rectale : la normale est 38,5°-38,7°.

— Etes-vous sûr qu'il ne tousse pas, qu'il ne fait pas de diarrhée ?

— Regardez la peau, assurez-vous qu'elle ne présente pas de rougeurs ou de traces de boutons ou de parasites.

— Les oreilles sont-elles bien propres, sans dépôt marron ou exsudat jaunâtre ?

— Les dents sont-elles bien blanches et adaptées les unes sur les autres sans débordement en avant de l'une ou l'autre mâchoire ? Elles n'auront pas de taches jaunâtres qui signifieraient des pertes d'émail dues à la maladie.

— Les pattes ne sont-elles pas arquées ou gonflées, parfois déformées, auquel cas vous redouteriez les signes de rachitisme ou de décalcification.

— L'ombilic ne doit pas présenter de trace de hernie, tout comme l'aine du reste. Celle-ci se traduit par une déformation dénudée et molle.

— Si vous vous procurez un mâle, assurez-vous que les deux

testicules sont palpables. Un chien cryptorchide (1) n'est jamais confirmé, un monorchide non plus.

— Evitez d'acheter un chiot dont le ventre est ballonné et gonflé, ce peut être un signe de rachitisme ou d'infestation vermineuse (ascaris, trichuris, ankylostomes, etc.).

On ne saurait trop insister sur l'intérêt que vous aurez toujours à demander le conseil de votre vétérinaire, au moment de vous décider. Il vous dira de suite ce qu'il peut craindre.

COMMENT LE BAPTISER ?

La SCC a décidé de changer chaque année la lettre initiale des chiens inscrits à ses registres.

C'est ainsi que les noms de chiens commencent :

en 1977 par **N** : Nadia, Négus, Némo, Nikki, Nox, Nougat...
en 1978 par **O** : Olaf, Onda, Oro, Oscar, Otto...
en 1979 par **P** : Pat, Pedro, Piccolo, Pipo, Pixie...
en 1980 par **R** : Rac, Raisin, Ramsès, Ré, Romulus...
en 1981 par **S** : Saïda, Saturne, Seps, Silex, Sultan...
en 1982 par **T** : Tabac, Tom, Texas, Tulipe, Typhon...

LE CHIEN ET L'ENFANT

Il y a complicité entre chien et enfants, le monde dans lequel ils vivent est similaire, la confiance réciproque est de règle.

Les enfants ont rarement peur d'un chien, ils utilisent le même langage, ils jouent ensemble. Les taquineries sont vite oubliées lorsqu'on partage un petit beurre ou une barre de chocolat !

Il y a risques si le chien adulte est installé au foyer avant la naissance. Il faudra donc présenter le nouveau-né à votre compagnon, il assimilera vite le nouveau venu à un membre de son clan dont il prendra la défense.

Il est utile que les enfants s'occupent de la nourriture et des sorties de votre toutou, ils prendront conscience de leurs devoirs envers l'animal, notre frère, et échapperont à l'égoïsme. Le chien ne sera pas un objet que l'on rejette selon son humeur.

Le chien est pour l'enfant un substitut des forces de la Nature, il permet de fixer le besoin d'affection et de tendresse. Combien de jeunes victimes de terreurs nocturnes et d'inadaptations sociales ont été récupérées grâce à l'arrivée dans le cadre familial d'un chien ! (Pet-thérapie).

(1) Dont les testicules, non descendus, ne sont pas visibles.

LES JOUETS

Les chiots aiment à jouer avec une balle de caoutchouc, certains préfèrent une pantoufle ou une poupée. Il faut satisfaire leur besoin de mâchonner et de déchiqueter avec un os « chewing gum » en peau de buffle. Un Teckel à poil long de ma connaissance avait une collection de jouets : éléphants, poupées, ballons de toutes tailles et de toutes couleurs ! Il connaissait par son nom chacun des cent et quelques poupons que sa maîtresse avait collectionnés à son attention.

LA LAISSE ET LE COLLIER

Si vous êtes en ville, sortez toujours votre chien en laisse, cela lui évitera d'être écrasé ou heurté par une voiture. Le port du collier est obligatoire, n'oubliez pas de lui fixer deux médailles :

— l'une de la SPA avec une immatriculation ;

— l'autre avec votre nom, votre téléphone et votre adresse.

S'il est perdu, vous pourrez plus facilement le récupérer.

En hiver, pensez à un manteau pour les jeunes espèces.

COMMENT CORRIGER LES MAUVAISES HABITUDES ?

— Votre chien court après les enfants, les bicyclettes, les autos, tout ce qui bouge.

Lorsqu'il approche la voiture d'un ami qui roulera (exprès) lentement pour cette intention, ce dernier bombardera le chien avec des boîtes de conserves vides. Celui-ci sera surpris, stupéfait. Si vous répétez l'opération dix à douze fois dans la semaine, il risque de comprendre très vite.

— Il poursuit les poulets du voisin.

Vous le mettez en laisse et tirez brutalement en arrière en prononçant un énergique et sévère NON.

Répétez plusieurs fois dans la semaine.

— Il aboie sans arrêt.

Bombardez-le avec des boîtes de conserves vides (jus d'orange ou boîtes de soupes) et accompagnez ce geste d'un NON.

Répétez les leçons au moins six fois par jour.

— Il mâchouille toutes sortes d'objets.

Donnez-lui l'occasion de mâcher des jouets et des os en peau de buffle ou caoutchouc dur.

S'il a décidé de mâchouiller les pieds d'un fauteuil, placez autour des pièges à souris (tapettes) qui le dégoûteront vite. Si vous le prenez sur le fait, muselez-le avec un ruban autour du museau, il sera vexé.

— Il grogne et a tendance à mordre.

Dans la plupart des cas, le chien est trop gâté. Il faut punir dès le début car il mordra de plus en plus. Commencez en prenant le plat de nourriture pendant qu'il mange. S'il grogne, attrapez-le fermement par la peau du cou, soulevez les pattes avant de terre et frappez sous le menton. Réprimandez vertement puis redonnez-lui son plat de nourriture avec des mots aimables et quelques caresses. Répétez encore et encore jusqu'à ce qu'il sache qu'il ne doit pas grogner ou mordre en aucun cas. S'il est déjà gros et qu'il mord, muselez-le avec un ruban autour du nez et attachez derrière l'oreille. Soulevez-le de terre par le cou et frappez sous le menton.

— C'est un vagabond.

Si votre chien est adulte et est habitué à errer — il est difficile de le rééduquer. Lorsqu'il est chiot, apprenez-lui les limites de votre terrain. Prenez-le en laisse, et marchez autour du jardin. Quand vous atteignez les limites, vous dites fermement NON et vous tirez la laisse en arrière en la secouant vigoureusement.

Vous prenez un aide, ami si possible. Le chiot est tenu en longue laisse par cet aide et il est invité à vous suivre jusqu'au bout du jardin. Sur la limite qu'il est censé ne pas dépasser, vous dites NON d'une voix sèche et votre aide tire la laisse d'un coup sec. Répétez souvent. Il apprend les limites exactes du jardin ou de la pièce qu'on lui accorde dans un appartement.

— Il saute sur les jambes de vos amis.

Au début, c'est très touchant puis lorsqu'il a pris l'habitude, avec les pattes pleines de boue, vous n'êtes plus d'accord. Renvoyez-le avec le genou en arrière, en disant NON fermement ou attrapez ses pattes avant et poussez-les en arrière pour qu'il se renverse, ou bien poussez ses doigts arrière quand il a ses pattes avant sur vous.

— Il visite les poubelles.

Placez une demi-douzaine de « tapettes » à souris dans les paniers sous une feuille de papier. Elles sont trop faibles pour meurtrir les chiots ! Le bruit l'effraie et il s'enfuit vite.

— S'il saute sur les fauteuils.

La même disposition de tapettes à souris va le terroriser et il perdra vite l'habitude.

RENSEIGNEMENTS UTILES

Société Centrale Canine : 215, rue Saint-Denis, 75002 Paris (tél. : 233-63-41).

— **Vous avez perdu votre chien :**

Avertissez :

1) Le commissariat de votre quartier.

2) La Société Protectrice des Animaux, 39, boulevard Berthier, 75017 Paris (tél. : 754-40-66) et l'abri de Gennevilliers (tél. : 733-57-40).

3) La BDA (tél. : 824-65-28.)

4) Les vétérinaires voisins.

— **Votre chien est malade la nuit ou un jour férié :**
Appelez : SOS Vétérinaire (tél. : 288-67-99).

— **Vous voulez un taxi qui accepte de le transporter :**

203-99-99
656-94-00
200-67-89

Il suffit de prévenir au téléphone que vous êtes accompagné d'un toutou de « telle taille ».

— Pensez à souscrire une *assurance responsabilité civile chien* qui étende la garantie R.C. à votre chien. N'oubliez jamais que tout propriétaire est responsable des dommages ou préjudices qu'un animal peut causer à un tiers (article 1 385 du Code Civil).

— Si vous partez à l'étranger, renseignez-vous auprès de votre vétérinaire ou des consulats des pays où vous devez vous rendre. Pour la plupart des pays, les services de douanes exigent :

1) Un certificat de bonne santé daté de deux jours avant le franchissement des frontières.

2) Un certificat de vaccination contre la rage datant de plus d'un mois avant votre départ et de moins de six mois.

Rappelez-vous que la Suède, le Danemark, l'Angleterre et les pays du Commonwealth (Hong-Kong, Australie, etc.) imposent une quarantaine de six mois dans un chenil surveillé.

Au Japon la quarantaine est de deux semaines.

Au Canada, elle est d'un mois.

DEUXIÈME PARTIE

LES SOINS NÉCESSAIRES

◄ *Elevage de Shéba.*

CHAPITRE I : **L'HYGIÈNE**

1) **Les bains**

En principe, on ne doit pas trop les baigner pour cette bonne raison qu'en général ils ne se salissent que superficiellement. Mais si on tient à donner un bain à son chien, il faudra veiller à ce que l'eau soit assez chaude (38°) et surtout à ce que le séchage soit consciencieux.

Mais, répétons-le, les bains sont recommandés une seule fois par mois ou tous les quinze jours. Le reste du temps on préférera les *shampooings secs.*

Si votre toutou est couvert de boue, vous pouvez :

— soit le frotter avec des linges humides, puis le sécher ;

— soit laisser sécher la boue puis brosser.

Si le poil est taché de goudron, de peinture ou de graisse, vous le frotterez avec un chiffon imbibé d'essence, d'éther ou de térébenthine. Il faudra rincer ensuite.

2) **Le brossage**

C'est une opération essentielle à la propreté de la robe. Il faut utiliser une brosse assez dure et brosser dans le sens des poils et inversement. On peut également peigner.

3) **Les ongles**

Si le chien vit à la campagne, s'il travaille ou prend de l'exercice, ses ongles s'useront d'eux-mêmes et n'exigeront généralement aucun soin particulier.

En revanche, s'il habite en ville et mène une vie plus sédentaire, ses ongles pousseront vite. Il faudra donc les couper car ils ne doivent jamais être trop longs. A cet effet, on utilisera un instrument spécial et non pas un de ceux qui sont réservés à l'usage humain. D'autre part, on prendra garde à ne couper que la partie transparente de l'ongle pour éviter de le faire saigner.

4) **Les oreilles**

Il faut nettoyer régulièrement l'intérieur du conduit auditif afin de le débarrasser d'un éventuel excès de cérumen, ou de sa sécrétion. Cette opération est fort simple. Elle se pratique avec de l'éther ou du mercryl laurylé dans lequel on a trempé un morceau de coton enroulé autour d'un bâtonnet (coton-tige).

A cette occasion on pourra vérifier si les oreilles ne sont pas douloureuses au toucher et s'il n'y a pas dans le conduit auditif aucune trace de sang coagulé ou de dépôt noirâtre ou granuleux. En pareil cas, il faudra consulter le vétérinaire qui indiquera un traitement. Il y a en effet risque de catarrhe auriculaire et il importe d'enrayer le mal. Il faudra laver très soigneusement l'oreille, la désinfecter puis la badigeonner avec une solution d'antibiotiques et de l'antimycosique.

5) **Les yeux**

Il peut arriver que les yeux de votre compagnon soient rouges et légèrement larmoyants. Ceci est fréquent après un long séjour en plein vent ou si un corps étranger s'est glissé sous

les paupières (à noter qu'en voiture il vaut mieux ne pas autoriser le chien à passer sa tête par la fenêtre). Il faut alors instiller des gouttes de collyre dans l'œil. On peut préalablement nettoyer l'œil avec de l'Optrex. Si au bout de deux jours l'amélioration n'est pas nette, il faudra consulter le vétérinaire car il y a risque de conjonctivite et même de « maladie », si on observe du pus.

6) **Les dents**

Il faut surveiller qu'il n'y ait pas de tartre. D'autre part, on donnera souvent des os à ronger car en nettoyant mécaniquement les dents, ils les protègent contre le tartre. Les jeunes chiens perdent parfois l'émail, qui ne reviendra jamais.

7) **Glandes anales**

Le chien se gratte l'arrière-train sur le sol, il « faut le traîner », le maître pense qu'il a des vers. Votre vétérinaire appliquera un kleenex de chaque côté de l'anus et pressera le liquide des glandes anales, qui se dégage de chaque côté sous forme d'une sécrétion colorée d'odeur très désagréable. Vous éviterez ainsi les abcès et les infections de l'anus.

8) **Les parasites**

A - LES PARASITES EXTERNES

Ce sont essentiellement les puces, les tiques et les poux. Lors de la séance quotidienne de brossage, on prendra soin de vérifier que le chien n'en a pas.

— *Les puces :* elles ne sont pas dangereuses et pour les éliminer il suffit d'avoir recours à des poudres insecticides. Elles transmettent de petits ténias *(dipylidium).*

— *Les tiques :* ce sont des parasites qui sévissent plus particulièrement pendant l'été. Il n'est pas toujours facile de les éliminer car les tiques, pour se nourrir du sang de votre chien, enfoncent leur tête dans la peau. En pareil cas, il ne faut surtout pas chercher à les en extirper en tirant sur leur corps. En effet, on arrachera le corps alors que la tête restera incrustée dans la peau. Il est donc préférable de faire prendre au chien des bains insecticides (les poudres seraient d'une efficacité insuffisante). De plus, il faut appliquer sur la peau un coton imbibé de térébenthine, d'éther ou de pétrole, ceci entraînera à coup sûr la mort des parasites qui tomberont d'eux-mêmes ou seront arrachés avec une pince à épiler.

Le collier antiparasite est parfois utile.

— *Les poux :* là encore des bains insecticides. Mais les poux sont extrêmement prolifiques, l'animal se gratte les oreilles sans arrêt. Aussi est-il bon de consulter le vétérinaire s'ils ne disparaissent pas rapidement.

— *La gale sarcoptique :* (voir page 33).

— *La démodécie* des chiots se traduit par des dépilations « en lunette » qui peuvent s'étendre aux babines et aux membres. Cette gale folliculeuse se complique souvent de pustules à staphylocoques.

— *La teigne :* elle est provoquée par des champignons microscopiques. Les zones dépilées sont arrondies et ont tendance à s'étendre. Elle est contagieuse pour l'homme.

B - LES PARASITES INTERNES

Ce sont les vers et principalement les ascaris, les trichuris et les ténias (vers plats ressemblant à des nouilles). Ces parasites sont dangereux. Beaucoup de très jeunes chiots sont morts à la suite des troubles provoqués par les vers intestinaux. Les chiots sont souvent infestés pendant la période de la vie utérine par des larves qui passent à travers le placenta.

Il est donc essentiel de vermifuger les chiots et les chiennes au début de la gestation. Les vermifuges doivent être administrés au moins une fois par mois jusqu'à l'âge de six mois, et ceci, dès le deuxième mois après la naissance. A partir de six mois on n'administre plus de vermifuges que tous les deux ou trois mois.

Votre vétérinaire vous conseillera sur la marque du produit à utiliser et vous indiquera les doses nécessaires.

N.B. : Vous administrerez le vermifuge le matin à jeun, le chien étant à la diète depuis la veille au soir.

Faites faire une analyse de selles chaque année, si vous soupçonnez l'existence de vers.

9) Ne donner que des aliments sains

Lors des promenades, il faut empêcher le chien de fouiner dans les poubelles. Il est en effet capable de manger n'importe quoi. Pour faire passer cette mauvaise habitude, placez une demi-douzaine de tapettes à souris sous une feuille de papier. Le bruit que déclenche les petits pièges effrayera votre toutou.

Ainsi que nous le verrons plus loin, il faudra également le dresser à ne jamais accepter de nourriture que vous ne lui auriez pas donné vous-même.

10) Les promenades

Elles doivent être régulières et fréquentes. Ce problème ne se pose évidemment pas si vous n'êtes pas citadin et s'il peut s'ébattre dans la campagne ou dans un jardin. En revanche, si vous habitez un appartement, vous devez absolument sortir votre chien au minimum deux fois par jour et une ou deux heures en tout.

Ceci est une règle d'hygiène essentielle et c'est pourquoi nous la citons en dernier. Tout chien est heureux à condition que vous respectiez son besoin d'air et de lumière. Il a besoin également de prendre de l'exercice et de rester aussi musclé que possible. En conséquence, non seulement il faudra l'emmener en promenades plusieurs fois par jour, mais de plus, vous profiterez de vos week-ends pour l'emmener à la campagne le plus souvent possible. Un chien qui ne prendrait pas d'exercice serait d'une part dénaturé, d'autre part beaucoup plus sensible aux maladies.

CHAPITRE II : **LES PRINCIPALES MALADIES**

Nous ne citerons ici que quelques maladies parmi les plus courantes. Il est évident que tous les conseils d'hygiène que nous venons de donner sont autant de moyens de prévention de la maladie. Il faut encore y ajouter quelques règles.

A - LA PRÉVENTION DES MALADIES

1) Vermifuger le chiot (voir le chapitre précédent).

2) Faire vacciner chaque année le chiot contre la maladie de Carré, l'hépatite virale et les leptospiroses. Ceci jusqu'à l'âge de 12 ans, car les séquelles nerveuses sont fréquentes chez des chiens âgés qui n'ont pas été vaccinés dans le jeune âge.

3) Surveiller la régularité des selles du chien et, au besoin, lui administrer un léger purgatif.

4) Observer soigneusement votre animal et prendre toujours au sérieux les signes alarmants tels que : abattement ou nervosité excessive ; inappétence ; fièvre ; écoulements purulents au niveau des yeux, des narines ou de la vulve ; toux, diarrhées...

5) Ne pas hésiter à prendre souvent la température ; cette opération s'effectue par voie anale avec un thermomètre normal. La température ne doit ni dépasser ni être inférieure à 38° ou 38,5°.

6) Enfin, ne jamais hésiter à consulter le vétérinaire, même inutilement.

7) Si vous allez à l'étranger, pensez à la vaccination annuelle contre la rage. Elle est exigée aux frontières. Des cas sont signalés chaque année dans l'est de la France et il est conseillé de faire une vaccination rabique chaque année.

B - LES PRINCIPALES MALADIES

1) Les troubles gastro-intestinaux

Le chien est abattu ; il a toujours soif mais dédaigne toute nourriture ; son haleine est parfois fétide. Il peut y avoir vomissements, diarrhée, et parfois des poussées de fièvre.

En pareil cas, il faut mettre le chien à la diète et ne lui servir que du bouillon de légumes. En cas de diarrhée on peut lui administrer du bismuth. Si les troubles n'ont pas disparu au bout de deux jours, conduisez-le chez le vétérinaire. Si les vomissements sont incoercifs et si vous voyez apparaître du sang dans les selles liquides, il peut s'agir de « typhus », accourez chez le vétérinaire, aussi vite que possible (1).

2) **Les maladies de peau**

a) *L'eczéma :* les crises d'eczéma sont souvent dues à une mauvaise alimentation (ex. : trop de sucre) et au manque d'exercice. La peau est enflammée et le chien se gratte.

— L'eczéma humide (forme aiguë) : des petits points rouges apparaissent, puis de larges plaques qui vont bientôt suinter et exhaler une très mauvaise odeur. Il faut faire faire une injection désensibilisante et mettre de la poudre spéciale.

— L'eczéma sec (forme chronique) : dans ce cas, la peau devient très sèche, voire écailleuse, et le poil ne repousse pas. Il faut voir l'homme de l'art qui veillera à arrêter les démangeaisons.

b) *La gale :* certains symptômes de la gale sont semblables à ceux de l'eczéma. L'animal se gratte et on remarque des plaques rouges et des pustules très prurigineuses sur le corps et en arrière des membres postérieurs. Le vétérinaire doit intervenir d'autant plus rapidement que la gale est contagieuse. En trois mois, une femelle de sarcopte donne 1 500 000 descendants actifs et dévorants...

3) **Les tumeurs**

Ce sont des masses plus ou moins grosses qui se développent dans divers organes du corps. Lors du brossage, il faut palper le corps du chien. Il importe aussi de tâter régulièrement les mamelles de la chienne. Si l'on découvre une tumeur, mieux vaut faire rapidement procéder à l'excision sous anesthésie générale et s'assurer qu'elle n'est pas cancéreuse et par conséquent maligne.

4) **Les parasites externes ou internes**

Voir le chapitre Hygiène.

5) **La maladie de Carré et l'hépatite contagieuse**

C'est la plus redoutable de toutes les maladies à virus. Aussi, insistons-nous sur le fait que la vaccination est absolument indispensable. Les symptômes sont extrêmement divers selon les diverses formes que prend « la maladie » : inappétence ; forte fièvre ; fatigue générale et abattement ; formation de petites pustules sous le ventre ; vomissements ; diarrhée, voire hémorragies ; rhume ; difficultés respiratoires ; convulsions nerveuses ; vertiges ; début de paralysie...

---

(1) La vaccination contre les leptospiroses est conseillée chaque année.

Si vous constatez l'un de ces symptômes, n'hésitez en aucun cas à consulter de toute urgence le vétérinaire.

N'OUBLIEZ PAS

Vous ferez vacciner les chiots contre la maladie de Carré et l'hépatite contagieuse à 2 mois, rappel à 3 mois et rappel chaque année jusqu'à l'âge de 13 ans.

Faites un rappel annuel de vaccin contre la leptospirose et un rappel de vaccin contre la rage.

6) **La piroplasmose** ou fièvre des tiques.

Les ixodes dont le rostre pénètre dans la peau sont porteurs de ce parasite microscopique qui fait éclater les globules rouges et provoque bientôt l'apparition d'une urine rouge foncé, couleur porto, accompagnée de fièvre (40°) et d'une grande tristesse. Seules des injections spécifiques effectuées d'urgence par votre vétérinaire peuvent sauver votre chien de la jaunisse et souvent de la mort.

7) **L'éclampsie**

Les crises nerveuses sont dues à une baisse du taux de calcium dans le sang. Elles sont dangereuses, voire mortelles. La femelle gestante y est particulièrement sujette. Elle tombe, halète, et semble paralysée et atterrée : accourir chez le vétérinaire qui injectera du calcium dans la veine. On pourra prévenir ces crises en administrant du calcium sous forme d'ampoules buvables, ou de granulés, et ceci très régulièrement pendant tout le temps de la grossesse.

C - BLESSURES ET FRACTURES

1) **Les blessures**

— Si la plaie n'est pas profonde, il suffira de bien couper les poils alentour, de désinfecter puis d'appliquer un coton ou une compresse maintenu par une bande.

— Si la plaie est profonde, il faut évidemment se rendre chez le vétérinaire qui mettra des points de suture. En attendant, il faudra stopper une éventuelle hémorragie en appliquant un pansement compressif ou en fixant un garrot.

2) **Les fractures**

Quelle que soit la nature de la fracture, le vétérinaire devra intervenir. En l'attendant, vous pouvez disposer des attelles soit deux planches ou deux bouts de bois bien droits maintenus le long du membre blessé de façon à l'immobiliser en attendant le praticien.

D - GARE AUX INTOXICATIONS

1) **Le meta** est utilisé pour détruire les limaces. Son goût sucré attire le chien. Il provoque des crises nerveuses épileptiformes et peut entraîner la mort. Courir à la clinique la plus proche pour faire vomir l'animal.

2) **La strychnine** entraîne des crispations et des convulsions. Seuls les barbituriques injectés dans la veine par le vétérinaire peuvent atténuer les effets.

3) **La mort au rat** à base de dicoumarine peut provoquer des hémorragies diffuses. Accourir chez le praticien qui injecte des antihémorragiques par voie parentérale (vitamine K, etc.).

Remarque : Ne jamais administrer de lait ou d'huile si le chien a avalé des appâts contre les rats, des composés mercuriels ou des insecticides (DDT, HCH). En attendant le vétérinaire, faire avaler une cuillère à soupe pour cinq kilos de poids vif du mélange, à part égale, d'eau oxygénée (20 volumes) et d'eau pour faire vomir.

E - DIVERS INCIDENTS

1) **Morsures de vipère.** Votre chien pousse un hurlement de douleur. On remarque une petite plaie tuméfiée et violacée. Faire saigner abondamment en débridant au couteau, sucer activement et recracher le venin. Placer un garrot au-dessus de la plaie et injecter si possible du sérum antivenimeux qu'il est bon d'emmener avec soi en vacances.

2) **Piqûres de guêpes ou d'abeilles.** Tamponner la région avec du vinaigre ou du poireau frais. Certains animaux sont allergiques et peuvent en mourir. Accourez à la clinique voisine.

3) **Corps étrangers.** Les aiguilles de couturière peuvent se ficher dans la gorge ou dans la langue. L'animal hurle et bave, il ne peut manger.

Les chiots peuvent avaler un morceau de jouet en caoutchouc, un caillou, un noyau de pêche, un os dur... Il vomit souvent « jaune », ne mange plus, son abdomen semble douloureux. Une radiographie et la palpation révèlent la présence de l'objet. Le chirurgien vétérinaire sera souvent obligé de procéder à l'ouverture de l'estomac ou des intestins.

4) **Danger des élastiques.** Un élastique placé pour jouer autour du museau ou d'une patte pénètre rapidement dans la peau qui le recouvre directement. Il y a bientôt inflammation marquée par les poils et exsudation. Il faut faire exciser.

5) **Les folles avoines** ou épillets de graminées peuvent pénétrer entre les doigts des pattes, dans le nez, les oreilles et provoquer des abcès et des inflammations douloureuses. Les faire ôter par le vétérinaire.

6) **Les coups de chaleur** au cours d'une journée orageuse d'été peuvent provoquer des malaises avec halètements, cyanose des muqueuses, gêne cardiaque, voire œdème aigu des poumons.

Ne pas laisser votre chien enfermé dans une automobile hermétiquement close et placée au soleil.

Il faudra projeter de l'eau glacée et injecter des piqûres toni-cardiaques et d'analeptiques respiratoires.

7) **Les coups de soleil** peuvent entraîner la congestion cérébrale et la mort.

F - LE VIEUX CHIEN

La sénescence s'accompagne de troubles généraux au niveau des reins, du foie, des poumons (essoufflement, emphysème, toux, fatigue, etc.). L'animal est sujet à l'obésité, aux rhumatismes et à la cataracte. Pensez aux « fontaines de jouvence » que votre vétérinaire injectera ou prescrira.

Faites effectuer périodiquement des analyses de sang et d'urine pour vérifier la bonne marche des émonctoires.

Champion de beauté : Quartz de Wegimont appartenant à Mme Guerville.

CHAPITRE III : **LA REPRODUCTION**

Ce chapitre a logiquement sa place dans la rubrique « Soins ». La femelle exigera quelques soins particuliers pendant la période de sa gestation.

A - LE CHOIX DES REPRODUCTEURS

De cela aussi vous devez prendre soin. Ainsi certains croisements sont strictement interdits par la SCC, par exemple le croisement d'un Teckel à poil ras ou dur avec un Teckel à poil long. Il en est ainsi pour de nombreuses races.

Règle de base : Choisir des reproducteurs dont vous aurez minutieusement étudié la généalogie, eux-mêmes devant avoir des ascendants de très grande qualité.

En effet, un chien peut sembler parfait, mais transmettre un caractère anormal provenant d'une des souches originelles. En d'autres termes, il arrive qu'un bâtard soit très beau et conforme aux normes du standard. C'est ce qu'on appelle un phénotype (par opposition aux génotypes de souches absolument pures). Un phénotype transmettra le défaut dont, par hasard, lui-même n'est pas affecté. Il engendrera des portées hétérogènes.

Autre règle : Se méfier d'une excessive consanguinité qui, à la longue, donne lieu à des phénomènes de dégénérescence.

Enfin, il ne faut accoupler que des chiens confirmés, faute de quoi leurs descendants ne pourraient pas être inscrits au LOF.

B - LA SAILLIE

1) Problème de l'âge.

— Ni le chien ni la chienne ne doivent s'accoupler avant l'âge adulte, soit quinze mois. En effet, si une chienne a ses premières chaleurs entre huit et douze mois et si elle a déjà atteint son aspect adulte à dix mois, il n'est pas désirable de la laisser porter quatre à six chiots, car la consolidation de son squelette n'est pas terminée. Mieux vaut donc attendre les troisièmes chaleurs.

Par ailleurs on ne peut juger avant l'âge adulte de la valeur d'un chien en tant que reproducteur.

2) **Problèmes administratifs.**

La saillie doit être déclarée dans les quatre semaines à la SCC. Il existe des imprimés spéciaux.

(La naissance sera déclarée dans les quinze jours.)

3) **Les chaleurs.**

Les chiennes entrent en chaleur environ deux fois par an, soit tous les six mois. Cette période dure deux à trois semaines.

Manifestations : Les chiennes sont nerveuses, peuvent perdre l'appétit et elles attirent les mâles du voisinage. Attention. Il se produit d'autre part un écoulement de liquide muqueux et sanguinolent.

Dates à respecter : Pour une chienne, la saillie doit avoir lieu entre le neuvième et le treizième jour à dater du début de l'écoulement. Ces quatre jours sont en général les plus favorables à la fécondation.

Démarche à suivre : Il faut alors mettre la chienne en présence du reproducteur choisi. La première fois, il se peut qu'il y ait quelques difficultés et en cas de bagarre il faudra intervenir. Mais, en règle générale, il suffit de laisser les chiens enfermés pendant une heure ou deux. Dans certains cas, si l'on n'est pas sûr que la chienne soit fécondée, une seconde saillie peut avoir lieu deux ou trois jours plus tard.

Remarques : — Il est absolument normal qu'après la saillie les époux restent accouplés pendant un quart d'heure ! Il ne faut en aucun cas les séparer avec brutalité.

— Après la saillie avec un reproducteur choisi, il importe de surveiller la chienne, voire de l'enfermer pendant quelques jours, afin de ne pas risquer une autre saillie inopportune.

— Au cas où la chienne aurait été fécondée deux jours après la première saillie par un autre mâle que le reproducteur choisi, elle risquerait de donner naissance à quelques bâtards. On peut alors demander au vétérinaire de pratiquer un avortement par piqûres, la première sept jours après l'accouplement.

C - LA GESTATION

1) **La durée** de la gestation est de 58 à 62 jours.

2) **Manifestations.**

— L'état gravide ne se manifeste pas pendant les six premières semaines.

— L'état de la chienne n'apparaît que vers le 40e jour : le ventre grossit ; les mamelles se gonflent peu à peu ; la démarche s'alourdit.

Il ne faut pas oublier qu'elle va mettre au monde, suivant sa taille, de quatre à six chiots de 200 g en moyenne, parfois un seul. Ces chiffres varient naturellement selon la taille des chiens.

Plus tard, la chienne va commencer à manifester inquiétude et nervosité, et ses mamelles vont sécréter un liquide séreux, le colostrum. Il faut d'ores et déjà lui préparer le coin où elle pourra mettre bas.

— Quelques signes annoncent la mise bas (ils seront moins marqués chez une chienne qui a déjà porté) : les mamelles se durcissent, la vulve se tuméfie, enfin et surtout la chienne commence à souffrir.

3) **Les soins à prodiguer pendant l'état gravide.**

Au cours des neuf semaines de la gestation, l'appétit de la chienne ira croissant et il faudra veiller qualitativement à ses besoins alimentaires :

— Vous devrez, en particulier, augmenter sa ration de viande. De même, vous pourrez lui donner un peu de sucre et davantage de lait et de fromages en raison de l'apport calcique qu'ils représentent. Le carnicomplex est mêlé chaque jour à la nourriture ainsi qu'un complément riche en calcium conseillé par le vétérinaire.

Très important : La chienne gestante doit prendre de l'exercice. Ceci est une absolue nécessité. Il faut lui laisser le soin de se restreindre elle-même sur ce plan quand elle en ressentira le besoin.

D - LA MISE BAS

La température descend à 37°, vingt-quatre heures avant le commencement du « travail » et remonte à 38° avant les contractions.

— La chienne va s'étendre sur la couche qui lui a été préparée dans un coin chaud et tranquille. Elle lacère souvent son coussin ou la couverture.

— Après qu'elle a lâché les eaux, apparaît le premier chiot.

— Les autres chiots apparaîtront toutes les demi-heures environ. La mère expulse généralement sans problème, et l'intervention du vétérinaire est rarement nécessaire. Toutefois, il est bon de se rendre d'urgence chez le vétérinaire si la mise bas est longue et si les contractions sont faibles et sans résultat. Il effectuera alors une « césarienne ».

— Les chiots sont expulsés avec leurs membranes, sorte d'enveloppe protectrice que la mère mangera en même temps que les placentas.

— C'est encore la mère qui rompra les cordons ombilicaux. Vous pourrez les ligaturer si l'un d'eux saigne.

— Ensuite, quand la mise bas est terminée, il faut remettre les bébés à leur maman et s'efforcer de les faire téter le plus rapidement possible.

— N'allez pas tripoter sans arrêt les petits et interrompre les tétées.

— Laissez la nichée tranquille, la mère a besoin de calme.

— Ne pas laisser trop de jeunes, quatre maximum, normalement.

— Si un bébé pleure, il risque d'être malade ou de ne pas téter. Veillez à ce que la mère ait du lait et qu'il ne soit pas défectueux.

— Obliger la maman à se nourrir et à boire abondamment ; elle doit également prendre de l'exercice.

E - ALLAITEMENT

On donnera une alimentation riche en viande crue et en vitamines. L'adjonction de **calcium** est destinée à prévenir les crises d'éclampsie dues à une baisse du taux de calcium dans le sang. La mère doit normalement alimenter ses bébés jusqu'à huit ou dix semaines. On commence à distribuer des aliments de sevrage complémentaires dès l'âge de six semaines.

F - SEVRAGE

A partir de quatre à six semaines, il est nécessaire d'aider la mère allaitante, pour la soulager et préserver sa santé.

Le lait de chienne est beaucoup plus riche en protéines que le lait de vache (albumines en particulier) (1), il est donc plus concentré d'où la nécessité de recourir à du lait **enrichi** spécial pour carnivores, en vente chez le vétérinaire ou le pharmacien.

Donc, dès la fin du premier mois, on commencera à présenter de ce lait spécial de commerce. Ils le laperont dans une soucoupe. On leur en donnera matin et soir et on ajoutera un peu de viande pulpée ou de jus de viande rouge. Ils commenceront donc à moins téter la mère et sa production laitière diminuera.

On pourra donner le matin et le soir du lait enrichi, puis à midi et 16 heures des bouillies de farine premier âge additionnées de pulpe de viande crue.

---

(1) Composition du lait :

	CHIENNE (en g)	VACHE (en g)
Eau	800	900
Matières grasses	90 à 100	35 à 40
Lactose	30	48
Protéines totales	96 à 115	33 à 37
dont albumine	51 à 55	3 à 7
lascine	45	30
Calories par kg	1 400	700

Au dixième jour, la bouillie de midi et le lait du soir seront remplacés par une purée de légumes avec de la viande finement hachée.

Quinze jours après, les Teckels recevront 20 grammes de viande par jour, les Bergers Allemands 100 grammes.

A trois semaines, 40 g de viande pour le Teckel, 200 g pour le Berger Allemand.

A quatre semaines, 60 g de viande pour le Teckel, 300 g pour le Berger Allemand.

A cinq semaines, 80 g de viande pour le Teckel, 400 g pour le Berger Allemand.

A six semaines, 100 g de viande pour le Teckel, 400 g pour le Berger Allemand.

Les quantités indiquées ci-dessus seront adaptées selon la race, dont le poids moyen est intermédiaire entre celui du Berger Allemand et du Teckel.

CHAPITRE IV : **L'ALIMENTATION**

Alimenter votre chien ne vous coûtera pas toujours beaucoup d'argent ni beaucoup de temps. C'est là évidemment le tout premier soin que vous devez à votre chien.

Quelques règles générales :

— Laver chaque jour la gamelle du chien.

— Il est préférable de jeter la pâtée que le chien aura dédaignée.

— Servir les repas tièdes. Ils sont destinés à être immédiatement engloutis. Le chien n'aime pas manger chaud mais il faut éviter les aliments glacés.

Certains éleveurs font consommer à leurs compagnons des croquettes qu'ils trouvent dans le commerce. Certains distribuent des aliments en conserves, surtout s'ils vont en voyage. Pourquoi pas, question de goût pour le chien et de commodité pour le maître. En cas de nécessité, on peut également leur donner des aliments pour bébés additionnés de viande hachée.

Ces règles sont très simples et faciles à appliquer. Quant à l'alimentation elle-même, elle doit avant tout être rationnelle.

A - LES ALIMENTS RECOMMANDÉS

1) **La viande :** Tous les chiens sont des carnivores. Aussi la viande leur est-elle absolument nécessaire et doit-elle constituer la base de leur alimentation. Quelle sorte de viande ? La meilleure possible naturellement, selon vos moyens financiers : une viande rouge fraîche et non grasse est indispensable.

— Le cœur, le bourguignon et la joue de bœuf sont des morceaux à recommander. Le foie une fois par semaine au même titre que les estomacs et les viscères qui contiennent beaucoup de vitamines (langue de mouton).

— Comment préparer la viande ? Elle peut être présentée crue de préférence ou cuite, coupée ou hachée. Toutefois :

• S'il est préférable de donner la viande coupée en morceaux, hachée, elle fera parfois mieux accepter la pâtée.

• La viande crue est de très loin préférable à la viande bouillie qui peut favoriser des maladies de peau et qui ne possède plus de vitamines.

2) **Les os.** Ils sont indispensables, car :

— Ils jouent un rôle de protection contre le tartre par nettoyage mécanique des dents.

— Ils contiennent du calcium.

Il ne faut donner que les gros os (palette de veau). On peut éventuellement les incorporer à la pâtée sous forme de poudre.

3) **Les poissons,** pourvu qu'ils soient maigres : tous sont excellents et devraient entrer pour une large part dans l'alimentation. Il faut toujours les servir cuits et, est-il besoin de le préciser, enlever soigneusement les arêtes.

4) **Les légumes :** Ils sont plus que conseillés, indispensables. Carottes, navets, poireaux, épinards seront cuits et incorporés à la pâtée. On peut également donner de la salade cuite.

5) **Les fruits :** Tant mieux si votre chien les aime.

6) **Les produits laitiers :** Nous recommandons de faire consommer du fromage blanc ou du gruyère. En revanche, le lait cru n'est pas toujours très conseillé, beaucoup de chiens ne le supportent pas (diarrhée).

7) **Les farineux :** Certains sont très utiles à condition de ne pas trop en donner, surtout en cas d'embonpoint. La pâtée pourra contenir des pâtes, du riz, des semoules, ou des flocons de céréales mais les pommes de terre sont à proscrire **absolument.**

8) **Le sucre :** Il ne faut pas trop en priver le chien tant qu'il n'est pas encore adulte. Mais ce n'est pas un aliment absolument

nécessaire. Il arrive souvent qu'on donne un sucre à un chien pour le récompenser, ce n'est pas grave mais un morceau de gruyère ou de Bonbel fera autant plaisir.

Cette liste serait incomplète sans les trois précisions suivantes :

— les aliments doivent être légèrement salés. On peut ajouter un autre condiment.

— On peut ajouter un peu d'ail.

— Tout chien doit boire à volonté de l'eau fraîche régulièrement renouvelée.

9) Les « compléments » alimentaires apportent un supplément qualitatif à base de levures, oligoéléments, vitamines naturelles, etc.

B - LES ALIMENTS NÉFASTES

— Les poumons, qui sont difficiles à digérer et gonflent l'estomac.

— Le gras qu'il faut surtout éviter en cas de tendance à l'obésité.

— Les petits os pointus de poulet ou de lapin.

— Les pommes de terre cuites, les haricots, les lentilles et les pois cassés qui sont trop riches en fécule et sont difficiles à digérer.

— Les choux.

— Les condiments : poivre, moutarde...

N'oubliez pas que, malgré votre méfiance à l'égard des aliments en boîte du commerce, « les conserves représentent, même les médiocres, un produit bien nettement supérieur à ce que l'on distribue à huit chiens sur dix » (1). La plupart constitue « un aliment complet, équilibré et appétissant » que vous compléterez

Poids du chien en kg	Aliment sec : biscuit, granulé (en g)	Aliment en conserves (en g)	Viande crue (en g)	Riz ou flocons céréales	Légumes verts
5	150	450	150	2 tasses à thé	2 tasses à thé
10	250	700	250	1 bol	1 bol

(1) Professeur Queinnec.

avec de la viande ou un complément à base de levures et de vitamines naturelles (Carnicomplex).

Besoins nutritifs du chien exprimés par kg de poids vif et par jour :

	Besoins d'entretien de l'adulte par kg de poids et par jour (en g)	Besoins pour chiens en croissance ou chienne en gestation, ou en lactation, par kg de poids vif et par jour (en g)
Protéines (minimum) ..	4,4	8,8
Glucides (maximum) ..	10,1	15,8
Lipides	1,3	2,6
Calcium	0,3	0,5

C - RATIONS ET NOMBRE DE REPAS

1) **Les six premières semaines :**

C'est la période du sevrage. En principe, la mère doit nourrir elle-même ses petits, si toutefois elle a assez de lait. Nous reviendrons sur cette question dans le chapitre consacré à la reproduction.

2) **Jusqu'à quatre mois :**

Vous donnerez à votre Cocker quatre repas par jour qui seront répartis comme suit :

— petit déjeuner : bouillie de blédine au lait sucré additionnée d'un œuf battu ;
— déjeuner : une petite pâtée composée de viande hachée crue et de semoule ou de petites pâtes ;
— goûter : une tasse de lait concentré sucré et un biscuit ;
— dîner : même pâtée qu'au déjeuner.

La ration de viande journalière passera progressivement de 40 à 100 g.

3) **De quatre à six mois :**

Le nombre des repas passe à 3.

— petit déjeuner : une bouillie de blédine ;
— déjeuner : une pâtée composée de viande hachée, purée de légumes et féculents (riz, petites pâtes, semoule ou flocons de céréales) ;
— dîner : même pâtée qu'au déjeuner.

La ration de viande passe progressivement de 100 à 150 g par jour. A six mois elle a donc atteint son maximum.

N.B. — Donner une ou deux fois par semaine un os de veau frais (palette, cartilage).

4) **De six mois à l'âge adulte :**

Désormais, plus que deux repas

— déjeuner : une pâtée composée de viande coupée en morceaux, d'une purée de légumes et de riz ou autres féculents ;
— dîner : même pâtée.
La ration de viande quotidienne est de 150 g.

5) **A partir de l'âge adulte :**

Le Cocker se contente maintenant d'un seul repas par jour.
— dîner : une pâtée composée de viande (bourguignon, joue de bœuf...), féculents divers et légumes.

Les rations de viande sont les suivantes :
a) pour un chien au repos : 150 g ;
b) pour un chien qui a fourni un effort (dressage, exposition, journée de chasse) : 250 à 350 g.

Le poids de la ration totale atteint :
a) pour un chien au repos : environ 400 g ;
b) pour un chien qui travaille : 500 à 700 g.

Quelques remarques :

— De temps en temps, la viande peut être remplacée par du poisson soigneusement épluché.

— Il faut penser à donner parfois un petit morceau de fromage (gruyère, par exemple). C'est une gâterie nécessaire aussi appréciée et meilleure que le sucre.

— Il ne faut pas hésiter à augmenter la ration d'une femelle gestante.

— Si le chien boude un repas, il ne faut pas trop s'en inquiéter. La plupart du temps, il se rattrape par la suite.

— Le chien doit manger dans une écuelle. Il ne faut jamais le nourrir à la main.

— Il ne doit manger qu'à ses heures de repas, et vous devrez l'empêcher de venir mendier quand vous êtes à table. N'oubliez pas que lui aussi doit « garder la ligne » !

— Votre Cocker peut d'ailleurs adopter vos horaires. Ceci est une pure et simple question d'éducation.

D - VITAMINES ET CALCIUM

Les fortifiants sont nécessaires dans trois cas :
— pendant la croissance ;
— pendant les périodes de convalescence ;
— pour la chienne, durant la gestation.

Mais, à l'âge adulte, il est bon en toutes circonstances de faire faire au Cocker de petites cures de vitamines et de calcium. Les laitages et les aliments naturels sont insuffisants. Il faut donc adjoindre à la pâtée des vitamines et du calcium prescrits par votre vétérinaire.

L'huile de foie de morue est évidemment excellente.

Encore une fois vous devez donner à votre Cocker une alimentation rationnelle ; et il est important de surveiller sa ligne. Un beau chien n'aura jamais de graisse, il sera musclé.

TROISIEME PARTIE

LE DRESSAGE DU COCKER ET SON UTILISATION À LA CHASSE

Le texte qui suit a été écrit suivant les conseils de M. Amador de Busnel, auteur d'un livre intitulé **Filou, apporte !** dans lequel ont été puisées de nombreuses citations (1).

Chapitre I : **Généralités**

Chapitre II : **Le travail préliminaire :**
L'apprentissage des commandements : « Viens ! » - « Assis ! » - « Down ! » - « Derrière ! » - « Allez ! »

Chapitre III: **Application pratique à la chasse :**
1. La quête
2. Le rapport

Chapitre IV : **Points particuliers :**
1. L'immobilité au coup de feu
L'immobilité au départ du gibier
2. Le travail à l'eau
3. La peur des détonations

---

(1) On peut se procurer le livre de M. de Busnel à Paris :
— Société Française du Livre : 87, rue de l'Université, 7e.
— Saint Hubert Club de France : 10, rue de Lisbonne, 8e.
— Spaniel Club Français : 8, rue Aubert, 9e.
— Revue Nationale de la Chasse : 81, boulevard Barbès, 18e.
— Le Bestiaire : 58, avenue Paul-Doumer, 16e.
— Librairie de Montbel : 1, rue Paul-Cézanne, 8e.

◄ *Elevage de Guerveur, Belle-Ile-en-Mer.*

CHAPITRE I : **GÉNÉRALITÉS**

Incontestablement, les Cockers ont un tempérament de chasseurs. Ils en ont aussi toutes les qualités. Mais cette heureuse nature ne les dispense nullement du dressage. Quels que soient leurs mérites et si grande que soit leur ardeur, ils ne seront jamais excellents tant qu'ils ne seront pas parfaitement disciplinés.

Le dressage a pour but non seulement de discipliner, mais aussi de mettre en valeur les qualités naturelles du chien et de contribuer à leur développement. Malgré la résonance coercitive de ce terme, il ne s'agit donc pas de faire du chien un pur et simple automate. « N'oublions jamais que nous n'avons pas affaire à une mécanique, qui, si elle est bien construite et réglée, doit marcher toute seule, mais à un être vivant, intelligent, sensible, et, gros avantage pour nous, prêt à tout pour nous faire plaisir, si nous avons su gagner sa confiance et son affection. »

Avant de commencer à faire travailler un chien, il faut donc étudier son caractère. En effet, à l'image des êtres humains, les chiens ont une sensibilité propre, des réactions personnelles, un comportement particulier. En observant votre chiot dans toutes les circonstances de la vie, vous verrez s'il est plus ou moins susceptible, sensible ou cabochard.

L'essentiel est de bien comprendre que le dressage est affaire de confiance et d'affection réciproques. Votre chien n'acceptera de vous obéir que s'il vous aime : « Un premier principe : ne pas commencer à travailler un chien tant qu'il ne remue pas la queue en vous voyant arriver. » Mais il a également besoin de sentir que vous l'aimez : « Un seul point commun pour tous nos élèves : il faut les aimer, c'est là le plus important, car de cet amour découlent la persuasion compréhensive, la continuité dans l'effort, la ténacité affectueuse et calme pour réussir ce que l'on aime avoir entrepris. »

Vous aurez la tâche plus facile si votre chiot n'a pas eu le temps de prendre de mauvaises habitudes. N'attendez donc pas qu'il soit adulte pour commencer à l'éduquer, mais donnez-lui ses premières leçons dès son plus jeune âge.

Vous allez donner des ordres. Pas n'importe lesquels. Les commandements que vous utiliserez sont très exactement au nombre de dix :

1) Viens (qui est le commandement du rappel).
2) Assis.
3) Down (la plupart des dresseurs professionnels emploient ce terme de préférence à « couché » ou « terre »).

4) Derrière.
5) Allez.
6) Apporte.
7) Donne.
8) Cherche.

Ce sont les trois commandements du rapport (6, 7, 8).

9) Non (que vous aurez l'occasion d'employer dans toutes les circonstances de la vie courante).
10) Doucement (même remarque que pour le précédent).

Si tous les chiens sont des cas particuliers, vous devez néanmoins observer certaines règles toujours valables :

1) Employez toujours les mêmes commandements. Exemple : pour rappeler votre chien, vous ordonnerez « Viens ! ». C'est ce terme que vous emploierez une fois pour toutes, et non pas tantôt « Viens », tantôt « Au pied », tantôt « Ici ».

Les commandements seront prononcés d'un ton sec et bref.

2) Inutile de fatiguer votre chien. Les leçons doivent être relativement courtes. Elles dureront dix à quinze minutes et les séances n'auront lieu qu'une ou deux fois par jour.

3) Ne brûlez jamais les étapes. A la fin d'une leçon il est bon d'avoir obtenu un résultat, si minime vous semble-t-il. Vous devez donc être exigeant mais en même temps savoir vous contenter de peu. L'essentiel est de ne pas chercher à aller trop vite. Même si la progression vous paraît lente, ne passez jamais à un nouvel exercice avant que le précédent ait été parfaitement exécuté. Vous n'obtiendrez rien en essayant de brusquer les choses. Au contraire, il est souvent préférable de revenir en arrière afin de s'assurer qu'une leçon a été parfaitement assimilée.

4) Jamais de correction ! Vous n'avez pas le droit de frapper votre chien. Un léger coup de badine suffit largement à lui faire comprendre votre mécontentement lorsqu'il a gravement désobéi. Or, le chien ne demande qu'à vous faire plaisir, et un petit écart de conduite ne justifie en aucun cas le recours à la force et à la brutalité. Vous n'obtiendriez d'ailleurs rien par cette méthode. Conscient de votre injustice, le chien à l'avenir refuserait probablement de travailler. Et il n'aurait pas tort.

5) En revanche, vous devez largement récompenser. C'est ainsi que vous réussirez. Récompenser le chien c'est lui donner une friandise. Evitez le sucre, offrez de préférence un biscuit ou un petit morceau de fromage ou de viande. Vous devrez toujours en avoir avec vous avant de commencer la séance de travail. La récompense est en effet le seul moyen de faire comprendre au chien qu'il s'est bien conduit et que vous êtes content de lui. N'en soyez donc pas avare. La discipline que vous exigez n'est évidemment pas naturelle. Pour que votre Cocker accepte de s'y soumettre, il faut qu'il ait confiance en vous. Il doit savoir que ses efforts ne sont pas vains et que son mérite sera récompensé.

Donc du calme, de la patience, de l'obstination et surtout beaucoup d'affection.

CHAPITRE II : **LE TRAVAIL PRELIMINAIRE**

Vous allez apprendre à votre Cocker à obéir aux cinq premiers commandements. Nous indiquons pour chaque cas une méthode et une marche à suivre bien précises.

A noter que les commandements « Non » et « Doucement » sont souvent utilisés dans la vie courante, mais ne demandent aucun apprentissage particulier.

I - « VIENS ! »

A la chasse, tout comme en ville, il est très important que votre Cocker ait du rappel. Cela signifie qu'il doit revenir vers vous sans la moindre hésitation dès que vous lui en donnez l'ordre.

Le commandement du rappel est :

— « Viens ! »

Il se traduit aussi par :

— des coups de sifflet par 2, brefs et répétés ;

— le geste indiqué ci-dessous.

Attachez votre jeune élève à une longe mesurant environ 10 mètres de longueur, et que vous laisserez traîner par terre. Après avoir laissé le chiot jouer pendant quelques minutes, appelez : « Viens ! » et sifflez comme il est indiqué. Vous faites en même temps le geste du rappel : baissez-vous légèrement en tapant votre jambe de la main. Dès que le Cocker est revenu près de vous, récompensez-le. Il comprend ainsi, non seulement qu'il a bien agi, mais aussi qu'il doit venir à vos pieds pour être récompensé au lieu de s'arrêter à un mètre de l'endroit où vous vous trouvez. Répétez souvent l'exercice. Le chiot doit être parfaitement mécanisé.

Vous agirez différemment avec un chien plus récalcitrant qui ne réagit ni à vos appels ni à votre geste. Il faudra freiner ses velléités d'indépendance. Pour cela, posez le pied sur la longe qui traîne à terre, puis prenez-en l'extrémité en main et tirez afin de ramener le chien à vous. Dès qu'il est à votre hauteur, récompensez-le et... recommencez autant de fois qu'il le faudra.

Un conseil : ne le corrigez jamais, même s'il tarde à obéir. En pareil cas, il ne reviendrait plus jamais.

Soyez persévérant : le rappel doit être parfait.

II - « ASSIS ! »

Il est relativement simple d'obtenir une bonne exécution de ce mouvement.

Au début, mettez votre chiot en laisse, montrez-lui la récompense et commandez : « Assis ! » Vous pouvez l'aider à comprendre ce que vous attendez de lui en faisant légèrement pression de la main sur sa croupe. Dès qu'il a pris la position exigée, récompensez-le.

N.B. — Montrez la récompense de haut. Le chien lèvera la tête pour la voir arriver et gardera pour la vie la bonne position de tête au moment de présenter « assis en gentleman » la pièce qu'il rapporte à son maître.

Quand l'exécution sera impeccable (c'est-à-dire quand il suffit de prononcer le commandement accompagné d'un simple geste — coude plié et index tendu — pour que le chien prenne la position), vous pourrez augmenter la difficulté. Votre chien gardera la position chaque fois un peu plus longtemps, et vous vous éloignerez chaque fois un peu plus sans qu'il bouge pour vous rejoindre. En pareil cas, c'est vous qui devez apporter la récompense, et non lui qui doit venir la chercher. Ceci bien évidemment pour qu'il ne soit pas tenté de rompre son immobilité.

III - « DOWN ! »

Il est très important que le chien obéisse parfaitement au « down ». Pas de dressage sans un « down » parfait. Nous verrons plus loin que cette exigence n'est pas gratuite. Nous pouvons noter dès maintenant que la mise au « down » peut être utilisée comme une punition, peut-être la plus efficace de toutes, et qu'elle permet encore de reprendre en main un chien trop énervé ou trop fougueux.

A ce commandement, votre Cocker devra se coucher, pattes arrière repliées, et pattes avant étendues. Autrement dit, il devra littéralement s'aplatir.

Trois sortes de commandements identiques :

— A la voix : « Down ! ».
— Au geste : le bras levé.
— Au sifflet : un coup long.

Mettez votre chien en position « assis ». Levez alors le bras et donnez le commandement à la voix puis au sifflet. Au début, aidez le chien à comprendre ce que vous désirez, en faisant légèrement pression de la main sur son dos. N'oubliez pas de placer à terre la main dans laquelle vous tenez la récompense. Dans la plupart des cas, cette méthode suffit à obtenir une exécution correcte. Vous n'aurez plus besoin d'aider le chien, et il ne vous restera qu'à répéter souvent l'exercice... sans jamais oublier la récompense.

Un conseil pour réussir avec un chien plus récalcitrant : placez-vous face à lui, et, au commandement, tirez sans forcer sur ses pattes de devant pour les amener en avant. Et là encore la perspective d'une récompense finira par avoir raison de toutes les résistances.

Au cours des séances d'entraînement, pensez à intervertir les commandements. Le chien doit comprendre qu'ils ont tous le même but.

Petit à petit, augmentez la difficulté. Vous exigerez un temps d'immobilité de plus en plus long. Restez d'abord près du chien, caressez-le, et faites-lui attendre la récompense. Puis vous vous lèverez sans cesser de prononcer le commandement et en gardant le bras levé. Vous attendrez alors une minute, puis deux, puis trois... avant de le récompenser et de l'autoriser à bouger.

Par la suite, non seulement vous vous lèverez, mais vous vous éloignerez de quelques pas. Si le chiot bouge, revenez près de lui, remettez-le en position et recommencez. Au fil des leçons vous pourrez vous éloigner de plus en plus.

Dans une phase ultérieure, il faudra également que vous donniez l'ordre à distance (toujours voix, sifflet et bras tendu). Là encore, votre éloignement sera très progressif.

Il faut enfin acquérir la perfection : cachez-vous de telle sorte que votre chiot ne vous voie pas, mais que vous puissiez contrôler son immobilité à son insu.

Le « down » ne sera parfait qu'une fois cette étape franchie. Mais il faudra poursuivre l'entraînement tous les jours en intervertissant les commandements.

N.B. — Pensez à répéter les exercices en toutes circonstances de la journée et pas seulement pendant les séances de travail, et continuez à vous assurer de la parfaite obéissance de votre chiot

en disparaissant pendant quelques instants. Il est très important qu'il reste immobile, même en votre absence.

IV - « DERRIERE ! »

Si, comme beaucoup de jeunes chiens, votre Cocker ne cesse de tirer sur sa laisse, vous devrez lui faire perdre cette mauvaise habitude. Rien de plus simple.

Mettez votre Cocker en laisse et partez en promenade. Chaque fois qu'il cherche à vous dépasser, un petit coup de badine ou de journal sur le museau, en même temps que vous commandez « Derrière ! ». Quand vous n'aurez plus besoin de journal ni de badine, vous pourrez, tout en prononçant le commandement, faire un geste du bras d'avant en arrière.

Répétez souvent le commandement, et bientôt votre Cocker, même sans laisse, marchera sagement sur vos talons.

Voici une façon astucieuse de donner la récompense : « Vous pouvez agrémenter la leçon en vous promenant les mains derrière le dos et tenant la récompense, et sans vous arrêter vous lui laissez prendre la récompense, toujours en disant « Derrière ».

V - « ALLEZ ! »

De toute évidence, l'obéissance à ce commandement est indispensable à la chasse. Là encore, pas de difficultés majeures.

Prononcez le commandement et faites simultanément un geste du bras gauche d'arrière en avant. Le geste doit être suffisamment ample. Pour être plus sûr d'être obéi, vous aurez eu soin de prendre la récompense dans la main gauche et vous la lancerez en accomplissant le geste indiqué.

N.B. — Profitez-en pour répéter les leçons précédentes, une fois que le chien aura trouvé la récompense jetée : « down » ou « viens ».

CHAPITRE III : **APPLICATION PRATIQUE À LA CHASSE**

A - LA QUÊTE

Le Cocker est un chien qui n'arrête pas le gibier. Sa quête n'est donc pas la même que celle des chiens d'arrêt, dont le but est de capter dans le vent les émanations du gibier et alors d' « arrêter », puis de « couler » jusqu'au départ du gibier.

Le Cocker, lui, est un « trouveur » qui doit explorer tout son terrain le plus méthodiquement possible, donc en faisant des lacets à droite et à gauche pour ne rien laisser passer. Quand il reçoit une émanation, il doit foncer dans la direction d'où elle lui est parvenue, et si possible ne pas poursuivre.

Il faut également noter que, contrairement au chien d'arrêt, le Cocker chasse généralement en terrain couvert. Aussi le vent est-il un élément qui a moins d'importance. D'ailleurs le chasseur n'est pas toujours en mesure de choisir la direction dans laquelle il va marcher.

S'agissant des Cockers, l'apprentissage de la quête n'aura donc pas d'autre but que de lui apprendre à agir d'une manière systématique.

Pour explorer tout le terrain, le chien devra décrire des lacets perpendiculaires au vent, mais cependant il est bien évident que son nez sera toujours dans la direction du vent.

Votre Cocker est à vos côtés. Faites alors un geste du bras gauche d'arrière en avant, et commandez : « Allez. » Il connaît ce commandement et, si le travail préliminaire a été suffisant, il part au galop. Laissez-le parcourir environ 20 mètres et sifflez pour le rappeler. S'il est bien éduqué, il doit revenir immédiatement. Mais s'il a des velléités d'indépendance trop affirmées et s'il refuse de revenir ou tarde à obéir, n'hésitez pas à utiliser le « down ». Laissez-le aplati pendant quelques instants et il aura tôt fait de comprendre. (Comme nous l'avons déjà souligné, le « down » vous sera toujours très utile en tant qu'appel au calme et à l'obéissance, et particulièrement quand votre Cocker sera tout à la joie de la chasse.

Quand le chien sera revenu, vous l'enverrez dans la direction opposée, soit à droite, et à nouveau vous le laisserez parcourir une vingtaine de mètres avant de le rappeler. Et ainsi de suite : le chien doit décrire des lacets devant vous.

Il est bien évident que la longueur des lacets peut et doit être variable. En effet, la quête devra être plus ou moins serrée selon la configuration du terrain.

Il n'est pas moins clair qu'il serait parfaitement vain d'exiger que les lacets décrits soient d'une régularité parfaite. Clouer sans cesse le chien au « down » n'aboutirait qu'à le décourager et lui faire perdre confiance en lui.

Votre Cocker a le nez fin. Laissez-le donc prendre des initiatives. A la chasse vous aurez d'ailleurs soin de fixer une clochette à son collier, de sorte que le tintement vous renseignera sur son action, même s'il est provisoirement hors de vue. Faites confiance à votre Cocker et vous en serez souvent récompensé. La découverte du gibier vous donnera plus de satisfaction qu'une quête croisée bien régulière.

B - LE RAPPORT

Même s'il en donne parfois l'impression, le Cocker ne rapporte pas naturellement. Il peut le faire par jeu, mais souvent fort mal. Or, pour être efficace, le rapport doit être pratiqué systématiquement et non au gré du chien, celui-ci ne devant aller chercher que sur ordre. Un chien non dressé, si doué soit-il, refusera un jour ou l'autre de rapporter sans raison apparente, ou tout au moins rapportera mal. Un apprentissage sérieux est donc nécessaire.

Pour que le rapport soit bon, il faut que le chien courre chercher le gibier sur ordre, et uniquement sur ordre, qu'il le prenne sans l'abîmer et vienne le déposer dans la main de son maître.

Nous allons voir que, pour parvenir à ce résultat parfait, il faut un entraînement assez long et surtout très progressif.

Nous l'avons déjà noté, les commandements du rapport sont :

— Apporte.
— Donne.
— Cherche.

Pendant l'apprentissage on utilise un matériel très simple, soit des objets de diverses natures que les dresseurs professionnels désignent sous le nom d'apportables. Voici la liste, non limitative, qu'en donne M. de Busnel :

« — un petit os en caoutchouc ;
— un chevalet en bois, plus facile à prendre que le morceau de bois sans chevalet, que vous aurez aussi ;
— ce même morceau de bois recouvert de plumes ou de peau de lapin. Cet apportable pourra avoir 20 à 30 cm de long pour un diamètre de 5 à 6 cm ;
— un sac d'étoffe solide ou de peau, que vous pourrez charger plus ou moins de n'importe quoi. »

Au début, les leçons pourront avoir lieu aussi bien dans un jardin que dans une des pièces de votre maison ou de votre appartement.

1 - Les premières leçons :

N.B. — Il est nécessaire que l'apprentissage soit progressif et il ne faut brûler aucune étape.

1) Préparez les récompenses et gardez-les à portée de la main. Pour la toute première leçon, vous mettrez votre chien en laisse. Vous tiendrez donc la laisse dans une main, et l'os en caoutchouc, soit le plus petit des apportables, dans l'autre.

Prononcez le commandement : « Apporte ! », entrouvrez les mâchoires du chien et glissez-lui l'os dans la bouche. Répétez le commandement en lui maintenant les mâchoires fermées. Puis « Donne ! » : vous reprenez l'apportable. Vous répéterez cet exercice à cinq ou six reprises lors de la première leçon. L'essentiel pour le moment est que le chien consente à ouvrir la bouche.

2) Glissez l'apportable dans la bouche du chien, aidez-le à garder les mâchoires fermées, et faites quelques pas en arrière en attirant le chien vers vous. En même temps vous prononcez alternativement les commandements « Viens » et « Apporte ».

N.B. — A la chasse le chien devra garder la tête haute afin de ne pas laisser traîner la pièce de gibier. Une bonne méthode pour l'y habituer consiste à placer la récompense sur une table vers laquelle vous reculerez : « Il se rendra compte que, en venant vers vous, il marche à la récompense vers laquelle il lèvera le nez. »

Il faut que, petit à petit, le chien garde les mâchoires serrées sans que vous ayez besoin de l'y aider. Il arrivera qu'il laisse tomber l'apportable. En pareil cas, vous le lui remettrez tout simplement en bouche et vous recommencerez en lui soutenant les mâchoires si c'est encore nécessaire.

2 - Deuxième phase :

Vous allez maintenant travailler non plus avec l'os en caoutchouc, mais avec le chevalet. C'est maintenant que va commencer véritablement le **« rapport forcé ».**

1) Au commandement « Apporte », le chien doit ouvrir la bouche sans que vous ayez besoin de lui écarter les mâchoires.

Un moyen d'y parvenir : poser votre pied sur une patte arrière et appuyer doucement jusqu'à ce qu'il ouvre la bouche pour crier. Mais attention : surtout pas de brutalité !

Marche à suivre : votre chien est assis. Vous lui présentez l'apportable. « Apporte ! » Dans la plupart des cas il ne réagit pas. Alors, tout en tenant solidement son collier, vous lui appuyez sur la patte et de nouveau : « Apporte ! » Dès qu'il ouvre la bouche pour se plaindre, vous introduisez l'apportable. Puis « Donne », et récompense. (Il va de soi que vous retirerez votre pied dès qu'il aura ouvert la bouche.) Trois répétitions par séance suffisent.

N.B. — Si, au cours des premières séances, le chien s'énerve ou s'affole, vous le mettrez au « down » pour le calmer. Ne le grondez pas, mais au contraire rassurez-le en le caressant.

Vous ne devrez pas passer à une autre étape avant que le commandement « Apporte ! » ait été compris comme un ordre indiscutable.

2) Il faut maintenant que le chien avance la tête pour prendre l'apportable.

Si la leçon précédente a été parfaitement assimilée, au commandement « Apporte ! » le chien ouvrira la bouche. Mais ce n'est plus vous qui allez avancer la main pour glisser l'apportable. Tenant le chien par son collier, vous l'obligerez à avancer la tête. Quand le chien a obéi, vous lui faites faire quelques pas avec l'apportable en bouche. En voici l'explication : « C'est avec une intention bien nette que je fais avancer le chien de quelques pas avant de lui donner la récompense. Il sait où elle est, son but est d'aller vers elle. Ce sentiment ne peut que l'inciter à avancer la tête pour prendre l'apportable. Cela est si vrai que si vous ne changez pas la place où est la récompense, certains chiens travailleront bien dans cette direction et pas dans une autre. »

Continuez à lui pousser la tête autant de fois qu'il le faudra... jusqu'à ce qu'il avance la tête de lui-même.

3) Il va maintenant falloir obtenir du chien qu'il prenne l'apportable non plus dans votre main, mais à terre. On comprend ici l'utilité du chevalet plus facile à prendre.

Là encore vous n'avancerez que très progressivement. Au début, gardez encore l'apportable en main, et contentez-vous de placer votre main un peu plus bas que sa bouche. Vous augmenterez la distance petit à petit, jusqu'à ce que le chien consente à baisser la tête jusqu'au niveau du sol. Parvenu à ce stade, vous respecterez la progression suivante :

— Continuez d'abord à tenir une des extrémités du chevalet dans votre main.
— Puis contentez-vous d'en toucher seulement l'extrémité.
— Ne touchez plus du tout le chevalet, et éloignez progressivement votre main.

Le résultat sera parfait quand le chien prendra le chevalet à terre dès que vous aurez commandé « Apporte », et ceci sans que votre main joue un rôle quelconque.

N.B. — Pendant les séances de travail, le chien continue à être en laisse.

4) Répétez les leçons avec des apportables différents, plus lourds et plus difficiles à prendre.

5) Vous allez encore augmenter la difficulté : votre Cocker doit maintenant prendre l'objet à terre et venir vous l'apporter.

Mettez-le en laisse, faites-lui prendre l'objet et éloignez-vous sans toutefois lâcher la laisse. S'il hésite à vous rejoindre, tirez-le vers vous afin de bien lui faire comprendre la nature de votre exigence. Dès qu'il sera près de vous, « Donne ! » et récompense. Ce n'est qu'une première phase. Il faudra encore :

— Augmenter peu à peu la distance afin qu'il s'habitue à apporter sans jamais lâcher, même si vous êtes loin.
— Obtenir qu'il garde l'objet assez longtemps. Pour cela, éloignez-vous toujours plus ; attendez, quand il est près de vous, avant de prononcer le commandement « Donne ! », et de temps en temps pensez à promener votre Cocker en laisse, un apportable dans la gueule. Vous ne devrez jamais tolérer l'échec. En pareil cas, ne frappez pas, mais exprimez votre mécontentement, et recommencez patiemment l'exercice à son point de départ.
— N'oubliez pas de changer souvent d'apportable.

6) Il faut encore que vous déposiez l'apportable assez loin du chien, de telle sorte qu'il sera obligé de se déplacer pour venir le prendre.

Commencez par déposer l'objet à faible distance, soit 2 ou 3 mètres. Si, au commandement, il hésite à aller le chercher, exercez une légère traction sur sa laisse. Répétez jusqu'à ce qu'il obéisse sans que vous ayez besoin de l'aider. Vous augmenterez peu à peu la distance.

N.B. — Si vous avez l'impression que les précédentes leçons n'ont pas été toutes très bien assimilées, n'hésitez pas à revenir en arrière et même à tout reprendre dès le début. Plus les répétitions seront nombreuses, meilleur sera le résultat.

7) Le chien doit s'habituer à rapporter du gibier. Au début, vous utiliserez un pigeon ou un lapin mort. Vous commencerez donc par lui faire rapporter du gibier mort refroidi et assez léger.

3 - Le perfectionnement :

1) Vous allez envoyer votre Cocker rapporter le gibier de plus en plus loin. Mettez-le au « down », allez placer le gibier à environ 50 mètres, revenez près du chien et commandez : « Allez ! », puis « Apporte ! ».

Vous augmenterez progressivement la distance de 50 à environ 200 mètres.

2) On l'a compris, le chien va être obligé de chercher. Ceci est très important : à la chasse, avant de rapporter, il faut le plus souvent retrouver.

Attachez le chien dans un coin, et, sans qu'il vous voie, allez déposer le gibier à environ 20 mètres. Revenez près de votre Cocker, détachez-le et commandez « Allez » et « Cherche ». Enfin « Apporte » quand il approche de la pièce de gibier. Lors des répétitions vous augmenterez la distance... et la difficulté.

Elevage de Guerveur, Belle-Ile-en-Mer.

Placez le gibier dans des endroits plus difficilement accessibles.

N.B. — Pour aider votre Cocker, vous pouvez lui indiquer la direction à prendre. D'autre part, s'il revient bredouille, il faut absolument recommencer : « Allez », « Cherche ».

3) Le pistage : Sans que le chien vous voie, traînez le gibier par terre sur une dizaine de mètres, puis jetez-le à 2 ou 3 mètres avant de revenir près du chien. Placez-le en début de piste et donnez les commandements. Par la suite, la tâche du chien sera plus difficile car la piste que vous tracerez marquera des détours et des retours.

4) Vous ferez chercher et rapporter du gibier refroidi, léger d'abord, plus lourd ensuite. Mais ne soyez pas trop exigeant. Le Cocker est un chien d'assez petite taille, et il est normal qu'il éprouve quelque difficulté à rapporter un gibier aussi lourd qu'un lièvre.

Plus tard, vous habituerez le chien à rapporter du gibier frais tué et donc encore chaud. Encouragez-le s'il semble un peu dérouté.

N.B. — Soulignons ici un point très important : il ne faut en aucun cas tromper la confiance du chien et ne jamais l'envoyer chercher pour rien. Il est indispensable que vous ayez réellement caché une pièce de gibier ou un objet quelconque. Cette loyauté est fondamentale et enfreindre cette règle pourrait avoir des conséquences désastreuses. De même à la chasse : n'envoyez jamais votre chien chercher si vous n'êtes pas absolument certain que la pièce de gibier est tombée. Sinon le chien cherchera pour rien ; il finira par se décourager et perdre confiance en vous. Son effort doit toujours être récompensé.

5) Cachez de temps en temps la pièce de gibier dans des fourrés et des ronciers. Il faut en effet l'habituer à travailler avec courage et persévérance. Ne lui ménagez pas les encouragements, il en aura probablement besoin.

CHAPITRE IV - **POINTS PARTICULIERS**

I - L'IMMOBILITE AU COUP DE FEU ET AU DEPART DU GIBIER

Ces deux questions sont évidemment liées : il serait inutile d'exiger qu'un chien s'immobilise au coup de feu s'il n'est pas dressé à ne pas poursuivre le gibier, puisque dans le cas contraire il vous empêcherait la plupart du temps de tirer.

Comment donc obtenir l'immobilité au départ du gibier ? Il faut commencer en promenant le chien, mis en laisse, dans des endroits où vous avez des chances de rencontrer du gibier. Exemple : au cours d'une battue vous demanderez l'autorisation de marcher avec les rabatteurs. Le principe est alors très simple : à chaque départ de gibier, « Down ! » et récompense.

Au bout de quelque temps, au lieu de tenir la laisse, vous la laisserez traîner par terre, puis vous la supprimerez.

On obtient de même l'immobilité au coup de feu : à chaque détonation, « Down ! » jusqu'à ce que le chien ait compris et que le seul bruit de la détonation suffise à l'immobiliser. Vous le perfectionnerez au cours d'une battue, et bien sûr en chassant. Mais, attention, si le chien ne reste pas immobile, ne tirez pas. Rappelez-le à vous : « Down ! »

II - LE TRAVAIL A L'EAU

Citons ici les excellents conseils de M. de Busnel :

« Avant de faire rapporter à l'eau, il faut s'assurer que le chien

y va. Vous choisissez votre terrain, de préférence une rive d'étang ou de mare, ou le bord de la mer à marée basse où les vagues sont insignifiantes et ne risquent pas d'impressionner...

» Vous longez le bord, et tout en marchant, vous entrez un peu dans l'eau pour que les pattes de votre ami soient mouillées. Caressez, avancez un peu. Si le chien résiste, ce qui est rare, vous avez votre laisse et vous ne cédez pas, récompense. De plus en plus vous vous éloignez du bord. Si la pente s'accentue, vous attendez que le chien entre bien dans l'eau avant d'avancer un peu plus, pour que le chien, presque sans s'en rendre compte, se trouve à la nage. Vous recommencez tout cela sans laisse.

» Si vous avez un ou deux autres chiens qui vont bien à l'eau et donnent l'exemple, vous gagnerez un temps fou.

» Votre chien va bien à l'eau, commencez votre leçon avec la laisse et votre apportable : petit rondin de bois. Vous le posez au ras-bord de l'eau de telle sorte qu'il ne soit pas recouvert, « Apporte ! ».

» Peu à peu, vous l'éloignez du bord et vous guidez votre chien vers lui ; quand il flottera, le problème sera au moins aussi simple. Bien entendu, après chaque prise, retour au sec : « Assis », « Donne ».

» Vous vous éloignez de plus en plus du bord, et bien que je n'aime pas que soit lancé l'objet à rapporter, dans l'eau vous êtes un peu forcé de le faire.

» Si vous êtes bien progressif, le chien ne fera même pas attention qu'il se met à la nage pour aller rapporter.

» Quelquefois, le fait d'avoir son rondin dans la bouche déséquilibre le chien, il ne s'allonge plus sur l'eau et barbote désespérément des pattes de devant, vertical et n'avançant pas. Il a encore sa laisse, avec elle doucement vous attirez le chien vers vous, il s'allonge et tout va bien.

» Maintenant vous recommencez sans laisse et vous en arrivez au rapport d'un oiseau : pigeon, sarcelle, puis canards.

» Il faut varier les rives d'où le chien prend le départ pour rapporter ; pente douce, puis un peu plus raide, puis à pic qui fait plonger. La laisse et la récompense facilitent le travail et en deux ou trois séances vous obtenez d'un chien qu'il saute d'un petit plongeoir... »

III - LA PEUR DES DETONATIONS

Il faut éviter que votre chien ait peur des coups de feu. Avant toute chose, observez-le. S'il s'effraie en entendant certains bruits de la vie courante (par exemple une porte qui claque), il faudra multiplier les occasions de l'y habituer jusqu'à ce qu'il ne soit plus troublé.

Montrez-lui du gibier avant de l'emmener sur votre terrain de chasse. Il est probable qu'il s'y intéressera et c'est un excellent signe. Il est prêt pour l'entraînement.

Très important : La première fois il ne faut en aucun cas tirer près de lui. Il faudra au contraire que le bruit de la détonation soit très lointain.

Demandez à un ami de vous assister. Il s'éloignera avec le chien et quand il sera à environ 200 mètres, vous tirerez.

Il se rapprochera petit à petit, mais toujours très doucement. Chaque fois que le chien ne réagit pas, récompense. Ainsi, pendant plusieurs séances, jusqu'à ce que vous puissiez tirer à environ 50 mètres sans provoquer d'émotion chez votre chien.

Plus tard, votre ami lâchera le chien à environ 50 mètres de l'endroit où vous vous trouvez. Appelez-le, et pendant qu'il revient, tirez. Dès que le chien est près de vous, récompensez-le. Tout doit bien se passer. Mais si le chien donne des signes d'émotion, il faudra tout recommencer au départ.

La première fois que vous emmènerez votre Cocker sur le terrain, vous le laisserez poursuivre le gibier. Tirez. Tout à la joie de la poursuite, il n'aura sûrement pas peur.

La liberté de poursuivre sera évidemment exceptionnelle, et par la suite... attention à l'immobilité au coup de feu !

Elevage de Guerveur, Belle-Ile-en-Mer.

SOCIÉTÉ CENTRALE CANINE

pour l'Amélioration des Races de Chiens en France

FÉDÉRATION NATIONALE AGRÉÉE PAR LE MINISTÈRE DE L'AGRICULTURE
(Décret du 21-9-66, Arrêté du 22-5-1969)
RECONNUE D'UTILITÉ PUBLIQUE

215, rue St-Denis - PARIS (2e)

LIVRE DES ORIGINES FRANÇAIS
(L. O. F.)

Inscrit au Registre des Livres Généalogiques du MINISTÈRE de L'AGRICULTURE FRANÇAIS

PEDIGREE

(doit obligatoirement être remis en même temps que le chien en cas de changement de propriétaire)

Nom du Chien :

Race : Robe :

Sexe : **Né le :**

Producteur :

Délivré à Paris, le

Le Président de la S. C. C.

Société Centrale Canine

POUR L'AMÉLIORATION DES RACES DE CHIENS EN FRANCE

Réservé à la S.C.C.

Déclaration reçue le

Fédération Nationale Agréee par le Ministère de l'Agriculture

(décret du 21 septembre 1966 et arrêté du 22 mai 1969)

Reconnue d'Utilité Publique

215, Rue Saint-Denis
75.083 PARIS Cedex 02

Réservé à la S.C.C.

N° ______

à

N° ______

Livre des Origines Français
(L.O.F.)

Inscrit au Registre des Livres Généalogiques du Ministère de l'Agriculture

DÉCLARATION DE NAISSANCE

à adresser à la S.C.C. par le propriétaire de la lice dans les deux semaines suivant la naissance

Je soussigné : ______

demeurant à : ______

concessionnaire de l'Affixe : ______

propriétaire de la lice : ______ L.O.F. N° ______

Race ______ Née le ______

Certifie que saillie par le seul étalon ______ L.O.F. N° ______

cette lice a mis bas le ______ une portée de ______ chiots

dont ______ mâles ______ femelles

(voir au dos la composition de la portée en vie à la date ci-dessous)

ORIGINES DE LA PORTÉE

Père : ______
N° ______
______

Père : ______
N° ______
Mère : ______
N° ______

Mère : ______
N° ______
______

Père : ______
N° ______
Mère : ______
N° ______

Je soussigné, certifie la complète exactitude des présentes déclarations.

A ______ *le* ______

Signature

Fac Similé n° 2

COMPOSITION DE LA PORTÉE

A REMPLIR PAR LE PROPRIÉTAIRE DÉCLARANT			RÉSERVÉ A LA SOCIÉTÉ CENTRALE CANINE		
Nom du Chien (1)	Sexe (1)	Robe et nature du poil	N° Tatouage	N° d'inscription au L.O.F.	

Achevé d'imprimer sur les presses de Bernard Neyrolles - Imprimerie Lescaret, à Paris, le 2 février 1977.

Dépôt légal : 1er trimestre 1977 – Numéro d'éditeur : 369.